COMME LA VIE

LAURENCE PAIN

L'INCONNU

DU BLOCKHAUS

ILLUSTRÉ PAR BENJAMIN BACHELIER

casterman

ROMANS

À Joël

UN BLOCKHAUS AU PEY-DE-FONTAINE

Il me semble que cette route ne s'achèvera jamais.

Depuis Moricq, il pleut. Sûr, tous les villageois du vieux Moricq ont dû apercevoir mon ombre traverser, à pas lents et pesants, les rues étroites du bourg. Une carcasse abîmée, voûtée. Un épouvantail animé. Mes baskets toutes défoncées se soulèvent chacune à leur tour. Lentement, résolument. Personne n'a ouvert sa porte pour m'inviter à prendre une boisson chaude. Faut pas rêver. Ce type-là, s'il est sur la route, c'est qu'il l'a bien voulu !

Je me suis abrité comme j'ai pu, en face de la tour, dans l'abribus. J'ai le bas du pantalon tout détrempé. Il faudra que je trouve un Secours populaire dans le coin. Les pattes de mon vieux velours sont tout usées. On voit le jour à travers. C'est sûr, Marcelle n'aurait pas apprécié une telle tenue. Mais que ce chemin est long! Un virage à droite, juste à la sortie du village. Une côte. Vers un château d'eau. Faudra aussi que je change mes chaussures. Quand je les ai ramassées, du côté de La Rochelle, elles étaient déjà bien avancées. La semelle de gauche était percée. Pas un grand trou, non. Un petit. Mais franchement, depuis, il y en a eu des kilomètres! Et de l'eau! Ça passe partout. Pire que le froid. Avec du papier journal, on peut se protéger du froid, se mettre au chaud. L'eau, elle, se faufile partout. Saleté! Près du château d'eau, voilà un méchant roquet qui se met à aboyer. Un temps pour lui, ça! un vrai temps de chien. Mais je n'ai pas envie d'alerter tout le secteur. De toute façon, vu cette brouillasse, personne ne sortira. Je dois avoir une sale tête, assortie au climat! Il faut que je me mette au sec, que je dorme. Il paraît que dans ce coin, il existe de vieux blockhaus. C'est un gars de passage qui me l'a glissé à l'oreille voici deux ou trois jours. Un peu frais comme hôtel, m'a-t-il dit, mais tu peux y dormir en toute sécurité. Les gens de là-bas n'aiment pas que leurs enfants traînent dans ces trous. C'est vrai, quoi! on ne sait jamais. Peut-être qu'un boche y est encore terré. Et mon pote qui se met à rire, à rire ! Il a failli en mourir. Faut dire qu'il fume trop. Le pauvre, il ne pouvait plus respirer ! Fou comme il tousse !

Ainsi Guy cheminait-il, trempé jusqu'aux os, poursuivant un seul objectif : se mettre à l'abri. Les côtes se succédèrent. Malgré le crachin tenace, il ne dévia pas de la ligne goudronnée, avec pour unique but le blockhaus du gars de La Rochelle. Il s'engagea bientôt sur la petite route tortueuse qui monte au Bernard. Il était fourbu. Il rêvait d'un bon feu de bois pour réchauffer ses os vermoulus.

Au moins Marcelle avait-elle cela de bon : elle se débrouillait toujours pour tenir une pièce au chaud. Même lorsque le porte-monnaie était vide, quand la boutique ne fonctionnait plus très bien… Je ne sais pas trop comment elle s'arrangeait… Je me demande comment elle fait maintenant. Bah… elle aura sans doute trouvé un pauvre type comme moi, qui passera ses journées et ses soirées à lui chercher son bois mort. Je devrais pas m'inquiéter pour elle. Marcelle, elle a toujours réussi à se tirer des mauvaises passes.

Lorsqu'il arriva près de Fontaine, le SDF sortit du fond de la poche de son manteau détrempé, soigneusement pliée et enveloppée dans un sac plastique, une feuille de vieux papier. En la protégeant autant que possible, Guy regarda une nouvelle fois le plan qu'il connaissait pourtant par cœur. Et il se dirigea vers le chemin cailouteux qui mène à Pey-de-Fontaine. Le vagabond manquait de courage pour observer les lieux. La pluie fine piquait les yeux, s'infiltrait entre les sourcils et les cils. Aussi avançait-il la tête baissée, enfoncée dans les épaules, le nez pointé vers ses misérables chaussures. Les pierres qui saillaient sur ce chemin d'exploitation eurent raison des derniers vestiges de ses semelles. La marche devenait trébuchante, traînante. Au sommet de la butte, l'homme, épuisé, disparut entre les fourrés de ronces, recherchant l'entrée du blockhaus tant attendu. Il dévala l'accès extrêmement pentu et s'effondra, enfin, à l'intérieur de son trou, noir, froid, mais sec !

Le gars de La Rochelle n'avait pas menti. Au bout de longues minutes, les yeux de Guy s'adaptèrent à l'obscurité. Il s'était appuyé au mur d'un étroit couloir qui fuyait vers la gauche, vers un noir encore plus tenace. Le béton avait résisté depuis plus d'un demi-siècle. L'électricité, elle, avait disparu.

— Va falloir t'habituer, mon p'tit père, maugréat-il. Pas d' chauffage central ici. Pas de lumière non plus !

Guy se redressa lourdement. Ses articulations fatiguées tiraient fortement et le firent grimacer. Il s'avança aussi raide qu'un pantin dans l'étroit couloir. Ses vêtements mouillés le gênaient dans ses mouvements mesurés.

— Va falloir que j' me chauffe. Sinon j' suis bon pour la grippe. Foutu pays ! Qui a bien pu me raconter que la Vendée était un département ensoleillé ? Si j' le tenais celui-là ! Il verrait de quel bois je me chauffe. En attendant, il va m'en falloir, du bois !

Marmonnant ainsi, Guy sortit sa pile électrique car l'atmosphère glacée des lieux l'inquiétait. Il découvrit sur son passage un avertissement gribouillé sur le mur : « Attention aux pièges ! » Qui voulait ainsi protéger son territoire par une menace aussi dérisoire ? Le vagabond se retrouva au centre d'une pièce carrée sans aération. Doucement, il attendit que ses pupilles s'adaptent à l'absence de lumière. Sa torche n'était pas d'une puissance exceptionnelle ! Petit à petit, il repéra quelques marches curieusement placées, de quoi se tordre une cheville, quelques vieux câbles abandonnés, des canettes de bière. En dépit d'un amoncellement de poussière et de gravats, l'endroit semblait donc connu et visité. Mais apparemment, cet hôtel de luxe était disponible pour la soirée. Guy laissa échapper un long soupir de soulagement. Il posa son sac Adidas démodé sur la dalle, en sortit une couverture de l'armée et un vieux pull gris foncé. Il les déposa sur le béton et fit demi-tour vers la sortie. Le SDF s'arrêta au bord de l'entrée encaissée. Il aurait juste un peu d'espace pour lancer un feu. Inutile d'essayer à l'intérieur. Il fallait ménager ses poumons ! En nettoyant bien le tertre de terre, il parviendrait à caler quelques pierres, puis à y déposer des branches mortes pour se réchauffer. Avant cela, il devait ressortir sous la pluie et trouver de quoi alimenter le foyer. Guy remonta son col élimé, rentra la tête entre les épaules et escalada la pente pour s'enfoncer dans les ronces à la recherche de combustible.

Quand le feu eut bien pris, Guy mit ses vêtements à sécher un petit peu. Il se sentit enfin heureux : le chemin avait été long, triste, mais cette nuit, il serait au sec. Demain, il lui faudrait trouver de quoi bricoler un peu, de quoi remonter ses finances qui n'avaient pas bonne mine ! Il lui restait une boîte de cassoulet qu'une grand-mère lui avait donnée au cours de sa route. Il la ferait réchauffer sur les braises avant de se coucher. La nuit se profilait, réconfortante : il serait bien au chaud dans sa couverture de laine bouillie. La vie rêvée, quoi ! Que demander de mieux ?

2

LE MAIRE DU BERNARD

La nuit fut calme. Pas un chat ne vint chatouiller la barbe grisonnante du dormeur recroquevillé sur lui-même. La couverture à même le béton armé, en guise de matelas, convenait parfaitement pour une rééducation énergique des maux de dos qui hantaient la vie de ce sans-domicile-fixe. D'ailleurs, il avait perdu depuis longtemps l'habitude de s'endormir lové au creux d'une couette moelleuse, chaude et épaisse.

Au petit matin, Guy s'acheminait déjà sur la route du Bernard. Il avait replié son équipement de fortune : il était hors de question d'abandonner derrière soi, ne serait-ce que pour quelques heures, le peu de confort qui lui appartenait encore.

Son sac en plastique noir à la main, il suivait les conseils de son ami de La Rochelle : trouver la maison du maire et lui demander quelque travail pour la journée. Un bon gars, le maire de ce pays. Il avait déniché trois ou quatre fossés à nettoyer au copain. Il aurait sans doute quelque chose de ce genre pour Guy…

Le temps s'était dégagé durant la nuit. Le pardessus achevait de sécher à même son corps. À la mairie, une secrétaire mal réveillée lui précisa froidement qu'à une heure si matinale le maire devait être encore chez lui. Tout de même, elle finit par murmurer du bout des lèvres son adresse.

Guy n'écouta pas la fin des jérémiades de l'employée appliquée. Déjà il reprenait son chemin. Des secrétaires tout juste polies, il en avait croisé plus d'une. Cela ne le dérangeait plus ; du moins, il avait choisi de ne plus s'y attarder.

Il se retrouva au seuil d'une demeure des années soixante, entourée d'une pelouse soigneusement tondue. Il sonna. La porte s'ouvrit sur un homme élancé, impeccablement vêtu. Le vagabond se sentit mal à l'aise face à ce costume repassé méticuleusement. Jamais Marcelle ne faisait de plis à ses pantalons. C'était du temps perdu, disait-elle. De toute façon, Guy n'avait jamais possédé un costume de sa vie.

— Vous désirez ?

Sans être agressive, la voix n'était pas mielleuse. Par où commencer ? Surtout ne pas s'embrouiller. Guy toussota.

— On m'a confié que vous pouviez trouver des emplois temporaires pour des gens, hum… des gens de passage.

Les yeux gris-bleu de Guy avaient soutenu le regard ferme du maire.

— Cela peut se faire, en effet. Que recherchez-vous précisément ?

Le jeune maire avait esquissé un léger petit sourire. Quelle maladresse Guy avait-il pu commettre ? Surtout, ne pas se laisser avoir ! Il avait faim. Il voulait changer ses chaussures et trouver un pull épais pour l'hiver. Il ravala sa fierté.

— Je recherche un petit boulot à la journée, monsieur. Je peux balayer les trottoirs, débroussailler les fossés, couper du bois, tout ce que vous voudrez.

L'homme au costume soigné hésita deux secondes.

— Je peux vous trouver cela.

Enfin un peu de miel dans la tisane jusqu'à présent tellement amère. Guy sentit les muscles de son dos se décontracter doucement. Il y avait un brin d'espoir au Bernard.

— Avez-vous un numéro de sécurité sociale ?

Et splash ! L'espoir s'envolait.

Un numéro de sécurité sociale, et pour quoi faire ? la sécu, Guy y avait cotisé toute sa vie, du moins celle d'avant. Mais quand il avait eu ses ennuis, elle s'était faite vraiment très discrète. Alors pas la peine de s'enquiquiner avec des paperasses inutiles.

— Non, je n'ai plus de papiers, pas d'assurance, pas de caisse primaire. Rien de tout cela ! Mais, ne vous inquiétez pas, monsieur le maire, je ne vous demande pas un contrat de travail ! Donnez-moi des outils, dites-moi ce que je dois faire. Ce soir vous me payez en liquide et je disparais.

— Votre proposition est absolument illégale. Si vous aviez un problème, sans assurance, sans légalité, vous sombreriez…

— C'est déjà fait, cela, monsieur le maire. Difficile d'aller plus bas, coupa Guy en baissant le nez vers ses chaussures trouées.

L'homme du Bernard trouva de quoi occuper Guy pendant la journée : il y avait des sites touristiques à nettoyer sur le secteur, les mégalithes vendéens, en particulier celui de La Frébouchère.

Vers dix-sept heures, le maire était apparu dans une nouvelle tenue : jean marron, pull gris bien épais. Guy achevait de tailler la haie qui mène au dolmen.

Satisfait de son labeur, il avait sifflé tout l'après-midi des airs de sa jeunesse. Ce soir, il pourrait s'offrir un repas plus consistant et se payer un bon café bien chaud.

— Tenez, je vous ai rédigé une lettre de recommandation. Cela pourra vous servir de passe dans un autre bourg.

Guy prit la feuille des mains de son employeur temporaire, le cœur battant.

— Je vous paie au SMIC, en considérant que vous avez œuvré sept heures, pas plus. Si j'arrondis, cela fait trente euros.

La main de Guy s'avança en tremblant vers les billets.

— Monsieur le maire, commença-t-il tout ému, est-ce que... demain... vous auriez, hum, encore quelques bricoles pour moi ?

— Savez-vous où loger cette nuit ? s'enquit l'autre, quelque peu étonné.

— Hum, oui, oui, sans problème.

Guy revit le trou noir du blockhaus, sec, tiède, mais noir.

— Eh bien, si vous pouvez être chez moi vers neuf heures, demain matin, je vous embaucherai pour entretenir mon terrain, aux mêmes conditions que celles de la mairie : le SMIC.

Guy le remercia plus d'une fois, au point de se rendre, peut-être, un tantinet ridicule. Le cœur léger, il reprit le chemin du Pey-de-Fontaine.

Au passage, il s'arrêta au bar pour se réchauffer l'estomac : il commanda un grand bol de café bien noir avec un bon sandwich. La patronne le regarda en biais jusqu'à ce qu'il eût payé. Mais Guy ne s'en souciait pas. Il se sentait heureux. Son estomac bien rempli ne criait pas famine, comme trop souvent ces derniers temps. Il avait acheté à l'épicerie du coin une boîte de raviolis et trois croissants. Un vrai luxe ! Ce soir, avant de s'endormir, il se rassasierait avec les pâtes et, au réveil, il aurait de quoi partir avec un petit déjeuner correct. Depuis combien de temps n'avait-il pas été seul, ainsi, avec de l'argent, une promesse de travail et un lieu où dormir, pour lui, rien que pour lui ? Pas de voisin pour vous ennuyer la vie. Pas d'odeur de sueur ni de vin. Pas la peur de rencontrer un dur de dur qui coûte que coûte prendrait la place des autres. Pas de castagne en vue.

Guy avait ajouté à son avoir une lampe de poche neuve. Ce serait plus pratique pour la chambre noire. Si personne ne se présentait au Pey, si le maire continuait à être généreux, si le Secours catholique du secteur le dépannait, mais avec des si...

Le lendemain, comme prévu, après avoir rangé à nouveau son matériel dans son sac en skaï, Guy repartit vers Le Bernard.

Il se sentait tout guilleret : le maire était un type bien, comme on n'en trouve plus vraiment. Il n'avait pas posé de questions. Pas comme ce patron de La Rochelle qui, pour nettoyer quatre pelouses, avait réclamé tout son curriculum vitae et même demandé pourquoi Marcelle n'était plus avec lui. Mais pour qui se prenait-il, celui-là ! Pourquoi fallait-il que ce fût elle qui l'ait quitté ? Qu'est-ce qu'ils en savaient, les gens, de leur vie à lui et à Marcelle ? Rien ! Enfin, si... Ce que Marcelle avait bien voulu leur raconter.

Le maire lui avait préparé des outils dans un coin du jardin. L'entretien des arbustes, fleurs et parterres occupa l'ouvrier toute la journée.

Vers dix-sept heures, le jeune élu lui remit son salaire ainsi qu'un mot pour son collègue de Saint-Benoît-sur-Mer et un autre pour celui de La Tranche. Guy pourrait, de la sorte, s'assurer une semaine de paie et gonfler son porte-monnaie.

— Présentez-vous également au Secours catholique de La Tranche de ma part. Vous devez avoir besoin de quelques vêtements en meilleur état...

Guy organisa méticuleusement sa semaine et son appartement grand confort.

Les différentes recommandations délivrées par le maire du Bernard furent, elles aussi, généreuses. Son vieux portefeuille en cuir tout élimé, sans couleur, se remplit à en faire craquer les dernières coutures dignes de ce nom.

Chaque soir, il recomptait ses billets, précautionneusement. Il s'endormait ainsi, son trésor près du cœur, heureux de son sort.

Des gars dans le pétrin, il en avait croisé. Son cas à lui n'était pas désespéré. Il faudrait si peu de chose pour qu'il retrouve une vie normale. Il suffirait que des hommes comme cet abbé Pierre du Bernard et ses copains daignent l'employer pendant un mois, et il pourrait se prendre une chambre dans un hôtel, se nettoyer et chercher un vrai travail. En étant sérieux, en quelques semaines, il se remettrait sur les rails…

L'ennui, c'est qu'il était tout seul. Alors, à quoi bon redevenir « normal » si c'était pour se retrouver entre quatre murs, devant une télévision pour unique compagnie ?

À vrai dire, même avec Marcelle dans la maison, à la fin, c'était la télé qui lui parlait à lui, Guy. Pas

Marcelle. Elle lisait des revues sur les stars, les gens bien, qui avaient réussi, eux !

Bref ! Autant rester sans domicile fixe et ne plus entendre de telles sornettes.

3

La rencontre

Un soir, comme tous les soirs depuis une bonne semaine, Guy rentrait en sifflotant, son vieux sac à la main. Il commençait à connaître sur le bout des doigts les creux et les bosses du chemin d'exploitation qui menait à son royal refuge. Il avait appris, depuis son emménagement, les explications données par un panneau en bois sur le cairn du Pey-de-Fontaine.

Guy aimait l'histoire. À la bibliothèque, il affectionnait particulièrement les ouvrages concernant l'époque contemporaine. Marcelle le critiquait constamment sur ses choix. Quoi ! Encore un pavé sur la Seconde Guerre mondiale ! Qu'est-ce qu'ils doivent en raconter comme bêtises pour qu'il y ait tant de bouquins là-dessus ! On voit bien que tu l'as

pas faite, cette guerre ! C'est pas comme mon père !
Lui, il était à la deuxième DB. Un résistant de la
première heure, mon père ! Pas un moins que rien,
lui ! Guy avait fini par ne plus répondre. Il se
demandait parfois comment il avait pu épouser
cette femme.

Donc, ce soir-là, notre féru d'histoire se dirigea vers
sa chambre forte, persuadé de commencer une soirée bien tranquille. Il avait acheté une boîte de couscous et il lui restait deux pommes de la veille. Il
lirait un journal vieux de deux ou trois jours, un
Ouest-France trouvé sur un banc public. Cela lui
occuperait la soirée. Deux cierges empruntés à
l'église de La Tranche agrémentaient son confort.
La Sainte Vierge n'en avait pas besoin. Pour apaiser
la colère céleste, Guy avait pris le temps de lui expliquer que cette lumière lui permettrait d'entretenir
sa santé intellectuelle.

En entrant dans le couloir de « sa maison », Guy
sentit que sa soirée de rêve tombait à l'eau. Aucun
doute : un étranger était chez lui ! Dans le goulot
d'étranglement, Guy, immobile, apercevait par
saccades irrégulières des rais de lumière passer
devant les yeux. Ces faisceaux rouges ou blancs
n'apparaissaient jamais au même niveau. Certains

se dirigeaient vers le plafond ou bien rasaient le sol, d'autres balayaient en oblique l'entrée de sa chambre.

Que faire ? Guy n'arrivait pas à imaginer ce qui se passait derrière le mur qui le séparait du ou des intrus. En même temps, il entendait un remue-ménage inquiétant, alors qu'il n'y avait rien à déplacer dans la pièce.

Le vagabond avança un peu, une sueur froide dans le dos. La vie était trop belle depuis une semaine. Il aurait dû laisser les cierges à l'église !

— Il y a quelqu'un ? risqua-t-il sans trop crier, espérant comme à son habitude que le dialogue apaiserait le conflit.

La question était d'une grande bêtise. Il le savait bien ! Mais enfin, il fallait bien commencer les discussions par un bout.

Malheureusement, le « quelqu'un » ne répondit pas. De l'autre côté, vu les déplacements, ils devaient être deux ou trois, au moins ! Son cœur battait la chamade. Sans doute était-il blanc comme un spectre. Si des individus ne se donnaient pas la peine de répondre à sa simple question, c'est qu'ils étaient certains de garder la place. Autant la leur laisser sans créer d'inutiles conflits. Guy commença à reculer à pas de loup, la main contre le mur pour se guider, quand les jets de lumière et le branle-bas de combat s'arrêtèrent. Guy s'immobilisa. Il n'osait plus respirer. Marcelle avait sans doute raison : il n'aurait jamais eu l'âme d'un résistant.

Pendant quelques secondes, rien ne se passa. À peine deux ou trois bruits métalliques, secs comme une boîte de fer que l'on claque. On cherchait visiblement un objet dans un sac ; peut-être des boîtes de conserve ? Le même déclic se reproduisit et, brusquement, les éclairs se dirigèrent en tous sens et le charivari recommença.

Guy ne comprenait pas. Ces hôtes de passage ne semblaient pas lui chercher d'ennui, à moins qu'ils ne l'aient pas entendu. C'était vraiment ridicule de fuir, si l'ennemi n'était pas en garde. Guy stoppa son repli et se dirigea à nouveau vers sa chambre. Ce qu'il vit le laissa un long moment sans voix, les yeux agrandis par l'étonnement, les bras ballants, son sac fatigué au bout de la main, la bouche béatement entrouverte.

Au milieu de la pièce, ses yeux accrochèrent d'abord quatre ballons jaunes qui se balançaient dans l'espace, au milieu des rayons de lumière, le rouge, le jaune, qui déchiraient le noir. Sa première stupeur passée, Guy distingua dans la demi-obscurité envahie par une fumée odorante – du patchouli ? –

une silhouette efflanquée qui gesticulait dans une sorte de danse effrénée. La personne était de dos, une lampe de poche dans chaque main, et, attachées à ses chevilles, de longues ficelles retenaient les ballons de baudruche qui voltigeaient de droite à gauche. Ce devait être une femme car le corps était menu. Elle regardait à l'opposé de Guy.

— Excusez-moi, dit ce dernier, vous êtes seule ?

Comme quelques instants plus tôt, l'inconnue ne répondit pas.

Je rêve, ce n'est pas possible, je rêve ! se dit Guy en passant sa main libre sur les yeux. Une femme seule, dans le noir, une sourde qui plus est !

— Hum ! Hum ! je ne vous dérange pas ? cria-t-il, légèrement vexé qu'elle n'ait pas remarqué sa présence.

Mais la danseuse poursuivait son déhanchement endiablé. Cela commençait à bien faire. Elle se moquait vraiment de lui, cette nana ! Et que faisait-elle, ici, chez lui ? Quel toupet ! S'il avait quitté Marcelle, ce n'était pas pour s'en laisser imposer par une midinette complètement toquée ! Guy posa son sac et, résolument, se dirigea vers l'autre ; il lui tapa sèchement sur l'épaule.

Elle se retourna en hurlant de frayeur et lâcha ses lampes. Prestement, Guy s'empara de la lumière rouge tombée à ses pieds et la braqua sur le parasite. Stupeur ! Face à lui, les cheveux collés sur son visage par la sueur, le cou auréolé d'un baladeur, se tenait un gamin ! Les deux étrangers se détaillèrent en silence, tout mouvement suspendu.

Le jeune garçon, douze ans peut-être, respirait fortement. Il devait danser ainsi depuis un long moment. Son regard ne quittait pas le visage du vagabond, tanné par le vent. Il semblait prêt à bondir, au cas où ce vieux tas de vêtements voudrait le malmener. Guy, lui, restait sur la défensive, ne sachant plus comment aborder l'intrus. Il finit par se décider à le questionner, considérant qu'il était de loin le plus âgé et que cette rencontre se déroulait sur son domaine.

— Qu'est-ce que tu fais là, à traîner ? demanda-t-il. Son ton bourru allait certainement effrayer le gosse. Guy n'en avait pas l'intention. Il aurait dû contrôler son émotion. La question était à peine achevée que le clochard regrettait déjà de l'avoir posée. L'enfant effectua deux ou trois mouvements, sans doute du rap, puis il s'immobilisa tout près de l'adulte.

— *Moi, je reste ici, je veux quitter le monde des fous pour de bon*, chantonna-t-il en reprenant immédiatement les quelques mouvements à peine effectués. Il s'arrêta à distance très respectueuse de l'homme aux cheveux gris. Il se tut, les mains croisées devant son sweat un peu long. Il regardait le nouveau venu, les mèches dans les yeux. Ses cheveux étaient coupés au carré, comme ceux d'une fille. Le silence étouffait l'atmosphère. Le rapeur se pencha vers ses pieds et défit de ses chevilles les liens qui retenaient les ballons. Il avait l'air pitoyable, ainsi.

— Drôle d'idée d'attacher ça à tes baskets, constata Guy en essayant de rendre son timbre de voix moins agressif que la première fois. Cela te sert à quoi ?

— À rien !

— Ah bon !

— J' fais ça pour m'amuser. J' l'ai vu une fois à la télé, j' trouvais ça sympa. J' voulais essayer.

— Et alors ?

— Alors ?

— Eh bien oui, quoi, qu'est-ce que tu en penses, maintenant que t'as essayé cet accoutrement de clown ?

— Pas très pratique. Un peu bête, je pense, non ?

Le jeune s'était redressé vers Guy qui, lui, avait avancé de quelques pas. Ils se dévisagèrent, yeux dans les yeux.

— On ferait bien de sortir pour se présenter, proposa Guy. Ici, il fait un peu sombre. J'ai une lumière de camping, mais c'est tout de même un peu court.

— OK, comme tu veux, répondit le garçon en ramassant la lampe jaune restée à terre.

Il se dirigea vers la sortie, suivi de près par le clochard. Ils se retrouvèrent sur le toit du blockhaus dont la surface plane constituait une sorte de terrasse. Il ne manquait que le soleil en cette fin de soirée grisâtre.

Le gamin avait les yeux gris-vert, les cheveux châtain clair et le nez retroussé. Son sweat lui arrivait à mi-cuisses, sur un pantalon large, une sorte de jean délavé. Il affichait un petit sourire sympathique.

— Je m'appelle Guy, commença le SDF. Sans profession.

— Et moi Paul, surnommé Paulo la Science, le prince de la débrouille. Collégien la journée.

— Et tu n'es pas à l'école aujourd'hui ? coupa Guy, un peu rapidement.

— C'est mercredi. T'as pas le calendrier en tête !

— Hum ! Non, pas vraiment.

— Qu'est-ce que tu faisais dans le block ?

— Dans le block ? Ah oui ! Eh bien, je venais manger.

— Manger ?

— Hum, oui, c'est chez moi ici.

— Chez toi ? Tu racontes des histoires. Personne ne

vit dans ce vieux truc tout cassé. J'y viens souvent et je ne t'ai jamais vu !

— Je viens… d'emménager.

Paul regarda son interlocuteur de travers. Il avait du mal à le croire. Pourtant ça se voyait : cet homme était pauvre, ses habits pas vraiment neufs, pas vraiment à la mode. Il n'avait pas dû se raser sérieusement. Et ses cheveux en bataille avaient besoin d'un passage chez le coiffeur.

— Alors, tu vis ici ?

— Oui, si on veut. Je peux t'inviter à dîner, proposa Guy, soudain joyeux et plein de projets. J'ai acheté une boîte de couscous. On peut se la partager. Et il me reste deux pommes. Évidemment, ce ne sera pas le *Ritz*. Je n'ai pas trente-six couverts. Tu pourras emprunter ma fourchette.

Tout à coup, Guy s'arrêta dans son élan, réalisant qu'il n'avait pas été aussi jovial, chaleureux depuis une éternité. D'ailleurs, il n'avait pas invité quelqu'un à dîner depuis des lustres ! Cette idée lui était agréable.

Le gamin, assis sur le rebord de la plate-forme, ne répondait pas. De temps en temps, il levait le nez et jetait un coup d'œil au clochard qui restait là, à ses côtés, sans plus rien ajouter, un peu abasourdi par son audace verbale.

— Le couscous, c'est vraiment pas mon truc ! Mais je vais faire un petit effort. J'aimerais voir ta cuisine. Paul se leva en riant et s'élança vers « la demeure » de son nouvel ami. Guy lui emboîta le pas, le cœur batifolant de plaisir. Ce soir, il ne serait pas seul.

4

1 + 1 = 2

— Hé ! Dis-moi, qu'est-ce que tu m'as raconté tout à l'heure, que tu veux rester ici pour… quitter le monde des fous ?

Guy tripotait quelques brindilles de bois mort, les ajoutait aux flammes maigrichonnes qui léchaient la boîte métallique du couscous. Il était accroupi, le bas du dos calé contre le mur en béton, près de l'entrée, à l'abri des courants d'air. Paul s'était installé sur la gauche, au sommet du blockhaus, les pieds dans le vide ; il restait silencieux en mâchouillant une herbe sèche, les yeux perdus vers le fond de l'horizon, vers la mer.

— C'est qui, les fous ? Qu'est-ce que tu voulais dire ?

— Rien.

— Comment ça rien ? Quitter le monde, tu appelles ça rien ! Qu'est-ce que tu as dans la tête ?

— Rien, je t'assure !

— Ben alors, pourquoi tu m'as raconté ça ?

— Franchement, toi ! T'es coupé du monde ! C'est une chanson.

— Une chanson ?

— Ouais. De Pierpoljak. Attends ! Tu vas voir.

Paul se leva prestement et courut vers la chambre intérieure. Quelques instants plus tard, il revint avec son walkman à la main.

— Penche-toi, Guy, je vais te mettre les écouteurs.

L'adolescent lui installa le baladeur sur les oreilles.

— Ça va comme ça ? demanda-t-il.

— Je ne sais pas. Je n'ai jamais écouté de musique avec un tel machin !

— Bon, alors tais-toi ! J'envoie la sono.

Paul appuya sur « marche » afin que Guy entende la fameuse chanson à la mode. En même temps, il chantonna les paroles qu'il connaissait par cœur. Lorsque la bande arriva à *« qu'est-ce que tu fais là »*, Paul coupa le son et haussa la voix :

— *Moi, je reste ici, je veux quitter le monde des fous...*

Guy, qui triturait le feu, se mit à sourire puis à rire.

— Hum ! tu m'as fait vraiment peur. Je croyais que tu avais des idées noires.

— T'es pas un peu fou ! hoqueta Paul en éclatant de rire.

Le clochard partit à son tour dans une explosion d'euphorie. Leur fou rire les fit pleurer pendant quelques minutes, jusqu'au moment où Paul pointa du doigt le pot de couscous.

— Tu n' trouves pas que ça sent le roussi ?

Il était hors de question que le festin se transforme en charbon. Guy tira sur sa manche de pull pour en faire une manique et ôta prestement la boîte de conserve du foyer.

— Bien, fiston. Heureusement que tu as l'odorat développé. Allez, viens, rentrons : il commence à faire frais ici.

Guy plaça la gamelle au centre de la pièce. Il sortit la couverture de son vieux sac, la plia en quatre et installa délicatement cette banquette de fortune sur le béton. Il fouilla dans son sac, à la recherche de sa gamelle qu'il tendit à l'enfant.

— Installe-toi, je te sers.

Assis côte à côte sur la couverture de l'armée, à la lueur de la lampe de camping, les deux compagnons se mirent à dîner en silence. À l'extérieur, la nuit s'installait sérieusement.

— Dis-moi, tu dors où ?

Guy venait de réaliser que ce jeune avait sûrement des parents qui devaient s'inquiéter de son absence ! En tout cas, s'il avait eu un fils, il n'aurait pas aimé qu'il traîne ainsi le soir. C'est pas une vie pour un gosse, ça !

Paul avait le nez plongé dans sa portion de couscous. Difficile de croire qu'il n'appréciait pas ce plat. Ses mèches cachaient son visage, il semblait ne pas avoir entendu la question de Guy.

— Hum ! Tes parents doivent t'attendre. Il faudrait peut-être que tu rentres, non ?

— Non, t'inquiète pas pour ça.

La masse de cheveux n'avait pas bougé et la voix était assez basse. La réponse ne convint pas au SDF. Il ne voulait pas créer d'ennuis au gamin, ni s'en attirer.

— Écoute, je n' veux pas t'embêter, mais je crois que tu devrais rentrer.

— Pourquoi ? T'as envie de dormir ?

Cette fois-ci, le visage de l'enfant s'était redressé et son ton devenu cassant. Ses yeux, malgré l'obscurité, brillaient de nervosité.

— Non… Je ne sais pas, je pense qu'il se fait tard. Je n'ai pas de montre.

La colère de Paul retomba aussi vite qu'elle était montée. Une vraie soupe au lait, ce petit !

— Il est vingt-deux heures. T'as raison. De toute façon, il faut que j' me casse.

— Tu habites loin ?

Guy, soudainement, s'inquiétait de son retour. Après tout, le gamin pourrait peut-être rester ici, avec lui. Mais cette idée n'avait rien de raisonnable. Paul, d'ailleurs, sortait déjà de la pièce, son baladeur autour du cou.

— Non, à Longeville. Ça te dit quelque chose ?

— Oui, tu es à pied ? demanda l'habitué des intempéries, assez étonné de constater qu'un jeune de douze ans pouvait traîner ainsi un soir de novembre.

— Ça va pas ! J'ai mon vélo. Tu l'as pas vu quand t'es arrivé ? Je le cache dans les fourrés au cas où… En général, y a jamais un chat ici. Mais, comme dirait ma grand-mère, on ne sait jamais. D'ailleurs, t'es bien ici, toi, ce soir. Là-dessus, c'est sûr, je ne m'attendais pas à te voir, toi et ton couscous.

Pause dans ce flot de paroles. Paul semble hésiter, il ne regarde pas Guy. On ne sait pas où il regarde.

— Merci pour le restau. Je crois que je reviendrai, s'il est encore ouvert. Allez, ciao !

Et Paul disparut dans la nuit.

5

Des projets plein la tête

Guy resta comme un idiot pendant un long moment, assis à l'extrémité de sa couverture rêche de l'armée, les poignets sur les genoux, lâchés dans le vide, une cuiller au bout d'une main, la boîte de couscous au bout de l'autre. Les yeux dans le vague, à son tour. Le silence, l'absence et la nuit envahissaient sa solitude.

D'où pouvait bien venir ce gosse ? Qui était sa mère ? son père ? Pourquoi n'était-il pas, à vingt-deux heures, pressé de les retrouver ?

L'homme se dressa lourdement pour ranger les vestiges du repas convivial. Le couscous était bon. Le gamin avait bien dit qu'il reviendrait. Si le restau était encore ouvert… Il faudrait donc ouvrir le restau. Mais pour quel soir ? Et avec quel repas ? Si

Paul revenait ainsi, ses économies diminueraient à vue d'œil. Cela ne convenait pas à ses projets, mais ce petit Paul…

Guy aurait tant aimé avoir un fils. Pas faits pour moi, les enfants, lui répondait Marcelle quand Guy en parlait. Un bébé, un enfant, une grossesse, mais mon pauvre gars, tu divagues ! Je serais toute déformée ! En fin de compte, Marcelle resta plate comme une serpillière. C'est lui qui fut accusé : « Tu sais pas y faire, mon pauvre vieux ! C'est pourtant pas difficile ! De toute façon, tu ne sais rien faire. » Pauvre Marcelle !

Il déambulait comme un détraqué, entre ces quatre murs, dans son cube de béton. Ce petit, il fallait qu'il revienne ! Pour les menus, quand il n'aurait plus d'argent, Guy retournerait voir le maire du Bernard. Il lui expliquerait que, finalement, il avait une bouche supplémentaire à nourrir. Mais en même temps, il ne pourrait pas le lui confier, parce que Paul n'était pas son fils ! Détournement de mineur, ça coûte cher ! Le clochard lui dirait juste qu'il avait besoin d'économiser… qu'il voudrait se réinsérer. D'ailleurs, c'était vrai ! Y en avait ras la casquette de toujours aller par monts et par vaux depuis bientôt… quatre ans ! Quatre ans ? Guy ne savait plus très bien. Mais il se sentait las, las de vivre sans but, sans famille, sans voisin. Il n'avait même pas de chien à qui raconter sa vie. Pas une vie que celle qu'il menait !

Au bout d'un nombre incalculable de va-et-vient, le SDF se sentit exténué. Ce petit Paul, il voulait le revoir. Il ne paraissait pas vraiment heureux. Pas normal ! La nuit fut longue, agitée, remplie de Paul, hantée par Marcelle ! Non ! pas de bébé ! Ça crie tout le temps !

Le lendemain matin, Guy partit de bonne heure pour Le Bernard. Il voulait trouver un menu sympathique et économique à la fois. Il eut beau arpenter la minuscule épicerie, rien ne lui convenait : les sardines à l'huile, cela lui semblait vieux jeu, radin. Des raviolis, Paul devait en manger en quantité à la cantine ! Dépité, Guy se résolut à quitter le magasin. Faire le difficile ainsi ne lui était plus arrivé depuis des lustres ! Il se souvint d'un *Huit à Huit*, sur Longeville. Il s'y rendit à pied. Le choix y était, de fait, plus conséquent.

Après avoir pesé le pour et le contre, Guy opta pour une paella. La méthode de cuisson n'avait pas l'air très compliquée. La caissière ne lui adressa pas un sourire mais recompta soigneusement la menue monnaie que, fier comme Artaban, il lui avait tendue. Ce sera une superbe soirée, vous ne vous en rendez pas compte, mademoiselle. Évidemment, Guy ne le lui avait pas confié. Il gardait sa joie pour lui, rien que pour lui !

Sur le chemin du retour, il se présenta au Secours catholique de La Tranche. Il voulait être présentable, tout neuf, pour son nouvel ami.

Une vieille demoiselle au chignon gris, nez pincé et lèvres serrées, les yeux perdus derrière des foyers épais et ronds, tenait le local très propre, méticuleusement rangé.

D'abord, peut-être à cause de sa myopie, elle regarda Guy de travers.

— Bonjour, madame, lui dit-il avec un large sourire, de quoi désarmer une armée complète, rien ne pouvant dissiper sa bonne humeur.

Guy s'était soigné pour cette visite, et pour Paul : il s'était débrouillé pour se laver dans un camping de la côte, fermé en morte saison. On pouvait entrer dans les douches en se glissant sous les murs de bois. Guy avait amené sa réserve d'eau dans trois bouteilles en plastique ainsi qu'une gamelle en guise de cuvette. Dans ce camping, il recherchait d'abord un miroir de bonne taille. À la lueur de sa torche électrique, il avait réussi à se raser, à laver ses cheveux, mieux encore, à se rincer le corps, juste avant son expédition de ravitaillement. Il avait surveillé les bruits de l'obscurité : surtout ne pas révéler sa présence, ne pas s'attirer d'ennuis.

La vieille demoiselle du Secours catholique ne pouvait pas lui reprocher son apparence. Il avait aussi brossé ses vêtements à la main. Mais en dépit de ces précautions, on devinait sans mal qu'il n'était qu'un clochard, un pauvre clochard.

Malgré le regard torve de la demoiselle au chignon rabougri, Guy se faufila dans la pièce, entre les étagères remplies d'effets et de chaussures.

— Vous désirez quelque chose, môsieur ?

— Oui, m'dame. J'aimerais un pull-over, un pantalon et des souliers neufs.

— Hum, neufs, il ne faudrait peut-être pas exagérer. Et puis, vous êtes gourmand ! Quelle pointure ? ajouta-t-elle en désignant du menton les chaussures de Guy.

— Quarante-deux.

— Bon… On doit bien avoir quelque chose de convenable.

En relevant les yeux pour suivre la patronne, il remarqua, dans le fond de la pièce, un homme aux cheveux grisonnants occupé à plier des chandails. Après quelques essayages, Guy obtint une paire de mocassins en cuir, pas trop déformés ; un tricot en laine mélangée dont la couleur lui plaisait : marron tirant vers le rouille ; enfin, deux pantalons : un jean et un velours vert bouteille. À cela, il fit ajouter deux paires de chaussettes.

— Voilà, dit-il ravi, j'ai besoin de tout cela.

La vieille demoiselle, toute menue comme une souris, se planta sous son nez et, relevant les yeux, lui demanda :

— Mais dites-moi, môsieur, c'est bien gentil tout ça. Mais… avez-vous de quoi me payer ? Vous savez que ce n'est pas gratuit ici !

Guy ne voulait pas s'énerver : c'était toujours du temps perdu ; il le savait. Cette chère madame était une âme charitable, personne n'en douterait. Il ne voulait pas qu'elle raconte partout qu'un clodo impoli lui avait volé quelques vêtements. Il refit donc un grand et généreux sourire.

— Mais bien sûr, madame, je suis au courant. Vous savez, j'ai l'habitude. Je vous dois combien ?

— Hum, un pull-over, deux pantalons, une paire de chaussures, deux paires de chaussettes, cela fait… dix-huit euros.

Guy s'amusait encore de la tête de la commère lorsqu'il s'était mis à compter ses billets devant elle.

— Ne vous inquiétez pas, je ne les ai pas volés, avait-il dit en prenant son paquet pour sortir.

À ce moment-là, l'homme s'approcha de lui, un gilet bleu marine à la main.

— Tenez, vous ajouterez cela à votre avoir. C'est la maison qui vous l'offre. Et bon vent.

Guy n'eut pas la peine de répondre car le donneur avait ouvert la porte et s'était éclipsé prestement. Il se retourna vers la mamie et lui fit un clin d'œil en disparaissant à son tour. Peut-être un geste en trop pour sa réputation, mais il ne fallait pas exagérer. Quant au type si discret, il aurait bien aimé pouvoir le remercier.

6

PAULO, L'IMPRÉVISIBLE

Sur le chemin du retour, tout à coup, il s'aperçut qu'il n'avait pas prévu de dessert, ni de fromage, ni d'entrée! Il avait perdu l'habitude de varier ses menus, se contentant d'un plat unique. Déconcerté, Guy pesa à nouveau le pour et le contre et finit par observer que la boîte de paella était pour quatre personnes. S'ils mangeaient à eux deux tout le contenu, c'est sûr, il ne resterait pas de place pour autre chose. Cette déduction le soulagea: il reprit son chemin en sifflotant.

Tout le reste de la journée se passa à ranger, nettoyer, aménager le blockhaus. Jamais il n'avait autant recherché la saleté pour l'ôter ou la déplacer dans les autres pièces. Puis il sortit sur sa terrasse et attendit, le cœur serré. Le feu était prêt à être allumé, la boîte posée à côté avec les rations d'eau nécessaires. Guy s'était bien organisé !

Il attendit longtemps. Le soleil disparut vers dix-huit heures ; la nuit descendit et petit à petit, avec elle, le froid. Il patienta dehors autant qu'il put. Puis il entra à l'abri, enfila un second pull, celui de la grincheuse du Secours catholique, et arpenta longuement la pièce sans poussière. Mais il fallait bien se rendre à l'évidence : Paul ne viendrait pas ce soir-là.

L'homme ramassa la boîte. Il n'avait pas envie de dîner seul. Cette absence lui avait coupé l'appétit. En bougonnant, il rangea son rêve dans son sac en skaï, s'enroula dans sa vieille couverture mitée et s'abandonna au sommeil. Valait mieux tourner la page. Ce petit garçon n'avait pas besoin de lui et l'avait, sans doute, déjà oublié. Peut-on oublier les gens qu'on a aimés ?

Le lendemain vendredi, Guy ne bougea pas du cairn, assis sur le vieux tas de pierres. Il se résolut à manger la paella. Il termina la boîte le soir. Elle avait un goût amer de désespoir. Rien de savoureux, finalement, dans ce plat tout prêt. Demain, il faudrait ressortir et acheter du thon en conserve, histoire d'économiser un peu. De pain et du thon, cela suffirait pour le week-end. Après, on ferait les calculs. S'il lui restait assez, le vagabond s'offrirait encore un peu de bon temps, ici, près de la mer. Sinon, il repartirait vers Nantes, histoire de varier les paysages !

Le samedi, Guy se réveilla sans grand enthousiasme, la tête embrumée. Quand les événements ne se déroulaient pas comme il l'entendait, son corps était gagné par un mal de nuque assez fort. Ce matin-là, la seule chose qui le préoccupait un tant soit peu était l'achat de sa ration de thon à la tomate. Il trouva son bonheur à Angles ; il n'avait pas eu le cœur de diriger ses pas vers Longeville. Il redoutait de croiser Paul dans une rue : il n'aurait pas admis de fausses excuses. Trop facile ! Mentir, cela ne mène à rien ! Juste à s'enfoncer un peu plus bas.

Le pas lourd, un pain sous le bras, son éternel sac usé dans l'autre main, Guy remonta le petit tertre qui menait à Pey-de-Fontaine. Demain, sûr, il partirait ; aucun sens de rester ainsi plus d'une semaine au même endroit. Cela ne relevait pas de son statut. ADF : Avec Domicile Fixe ! Cela n'existait pas !

— Eh bien ! Tu t'es fait attendre ! J' croyais que tu n'habitais plus là !

Guy sortit brusquement de sa léthargie. Il regarda le gamin comme s'il ne l'avait jamais vu. Paul était installé en tailleur sur la plate-forme, les cheveux balayant son visage au rythme du vent. Il était engoncé dans un gros pull bleu marine à col roulé. Ses yeux gris-vert, plutôt verts ce jour-là, fixaient gentiment Guy.

— T'es pas heureux de me revoir ? Je te l'avais pourtant dit que je reviendrais.

Cette petite phrase mit le feu aux poudres. Guy libéra la rancune entassée au fond de lui depuis deux longs jours.

— Non mais, dis ! Tu peux parler ! Comment ça, je ne suis pas heureux ! Figure-toi que je t'ai attendu, moi, jeudi, avec une paella. Un plat que jamais je ne m'offre ! Rien que pour toi ! Et môsieur, môsieur, il ne vient pas ! Il a sans doute mieux à faire, autre part, môsieur ! S'en fout du clodo de service qui l'a invité un soir. Y a mieux à voir ! Eh bien, la paella, elle n'existe plus ! Faut tout de même pas abuser.

Dans son explosion, Guy s'était dirigé vers Paul ; le garçon le dévisageait, les yeux écarquillés par l'incompréhension. Quand le SDF fut assez proche de lui, menaçant, Paul se redressa :

— Mais ça va pas ! Où est-ce que tu vas chercher toutes tes histoires ? T'es pas bien ! Et puis, dis donc, j'ai pas de comptes à te rendre ! T'aurais déjà dû être content que je te signale que je reviendrais !

— Tu as mis trop de temps pour revenir! enchaîna Guy, toujours agressif dans le ton.

— T'es drôle, toi! Je suis à l'école, moi, en semaine!

— À l'école?

La colère de Guy s'estompa d'un seul coup.

— Franchement, Guy, tu débarques toujours. Tu n'as aucun sens pratique! Aucun repère sur le calendrier! Faudrait revenir sur terre!

— Ben, tu sais, pour moi… un jour ou un autre, ça ne change pas grand-chose… bredouilla-t-il amèrement. Excuse-moi.

— Va falloir que tu t'y remettes, aux jours de la semaine, si tu veux m'offrir une paella quand je pourrai venir.

Paul s'était rapproché de Guy. Son pull lui descendait aux genoux. L'enfant était tout sourire. Aucun nuage à l'horizon. Il regardait Guy calmement, comme avec amusement. Mais le clochard ne bougeait pas. Il paraissait abasourdi par quelque chose, quelque chose qu'il essayait d'assimiler.

— Bon, si tu n'as pas de paella, t'as peut-être un autre plat à me proposer. Parce que moi, figure-toi, j'ai faim! Ça fait deux heures au moins que je t'attends.

Guy se réveilla enfin:

— Hum !! J'espère pour toi que c'est une petite faim. Attends, on va s'installer là, sur cette terrasse. Il y a un peu de soleil et de lumière. Je n'ai rien à réchauffer. Tu m'excuseras.

— Encore !

— Encore ? Encore quoi ? s'inquiéta le cuisinier, de peur d'avoir commis une nouvelle bévue.

Les mains dans son sac, à la recherche de sa boîte de conserve, il releva les yeux vers son hôte. Paul observait ses gestes.

— Tu t'es encore excusé. C'est la deuxième fois en moins de dix minutes. C'est beaucoup ! T'es toujours comme ça ?

Ah, ce n'était que ça ! Guy se détendit complètement et se mit à rire.

— Je suis désolé, Paul, mais franchement tu vas être déçu par le menu du chef ! Enfin, j'espère que tu apprécies le poisson ?

— J'adore !

— Hum, sans doute pas le mien.

Triomphalement, Guy présenta sa boîte de thon à la tomate, avec ouvre-boîte intégré ! La mine de Paul changea radicalement dès qu'il réalisa quel festin l'attendait.

— Si, si, tu vas voir, bien présenté sur une tranche de pain blanc, c'est succulent !

Le vagabond avait retrouvé sa bonne humeur. Le repas fut assez rapide. On ne peut pas dire que Paul fut ravi mais il mangea sa part sans rouspéter. Heureusement, Guy avait prévu deux boîtes dans ses achats : l'une pour le samedi, l'autre pour le dimanche. Il lui faudrait reconsidérer le menu du dimanche. Mais ce détail n'était pas grave.

Après sa dernière bouchée, Paul dévala le tumulus vers les pierres sèches du cairn.

— Va falloir que je t'apprenne à pêcher, Guy. Ça te changera des conserves !

Apprendre à pêcher ! Paul était resté une bonne partie de l'après-midi sur les débris du mégalithe, à rêvasser. De temps à autre, il bougeait deux ou trois pierres, tapait du pied dans une autre. Visiblement, il ne désirait pas causer. Guy avait rangé son sac au fond du blockhaus. Puis il avait patienté, espérant que Paulo viendrait discuter avec lui. Mais ce dernier gardait le regard perdu. Alors le vagabond s'était mis à déambuler autour du site préhistorique, les mains dans le dos, le regard posé sur ses chaussures. Ce gosse voulait maintenant lui apprendre à pêcher… à quarante-six ans ! Si Marcelle apprenait cela, elle resterait bouche bée, elle qui estimait que son mari ne saurait jamais rien faire. Comme Guy aimerait la revoir pour brandir

sous son nez un beau brochet d'un mètre de long.
« T'as certainement pas pu pêcher ça ! T'en es bien
trop incapable ! — Mais si, ma chérie, mais si… je
SAIS. »

Et Paul, tout à coup, avait gesticulé devant Guy : il
secouait ses bras en tous sens.

— Salut, Guy, je reviendrai demain matin te chercher. Sois prêt de bonne heure ! Je t'emmène à la
pêche !

Et hop ! sans avoir eu le temps de réagir, le SDF ne
put que constater la disparition hâtive de son ami.
Pas question de dîner ce soir-là : il était trop tard
pour partir à droite ou à gauche en quête d'un peu
de nourriture. Par ailleurs, Guy voulait dormir tôt
pour se trouver fin prêt le lendemain matin. Il avait
l'habitude de se réveiller aux alentours de six
heures, six heures trente. C'était sans aucun doute
suffisant pour se préparer à la partie de pêche.
Heureux comme un poisson dans l'eau, en
quelques minutes, il s'envola pour le pays des rêves.

7

PARTIE DE PÊCHE

— Hé ? Qu'est-ce que tu fais là ? J'attends !
On va être en retard !
Guy sursauta : une forte lumière était braquée sur
lui et, s'il n'avait pas identifié la voix de Paul, il
aurait pensé à un débarquement de policiers. Le
garçon le secouait de toutes ses forces.
— Ben quoi ! Tu rêves ? Je t'avais dit d'être prêt.
Décidément, la ponctualité n'est pas ton fort !
— Mum, t'avais dit de bonne heure…
— Eh bien, il est de bonne heure ! Pour bien pêcher,
il faut sortir à quatre heures du mat, quand il fait
encore nuit.
Guy se redressa brusquement :
— Quatre heures du mat ? Tu viens me réveiller à
quatre heures du mat ? Mais t'es malade ! Tu

devrais être couché à cette heure-là ! Et ta mère, elle te laisse faire ?

— T'occupe pas de ma mère, et dépêche-toi !

Paul disparut aussi vite qu'il était apparu. Guy se débarrassa rapidement de sa bonne vieille couverture, la plia pour la ranger dans son placard ambulant.

Il s'apprêtait à rejoindre le gamin lorsqu'il s'immobilisa, interdit. Fallait-il se munir de son sac de sport ? Pouvait-il prendre le risque de laisser tous ses biens dans ce trou de souris où les souris, d'ailleurs, refusaient de séjourner ? Ce ne serait pas un gros risque mais….

— Guy ! Grouille-toi !

La voix de Paulo obligea le vagabond à trancher rapidement. En quelques enjambées, il avait déposé son barda tout au fond du blockhaus. Lorsqu'il émergea à l'air libre, une bouffée d'oxygène fraîche et humide lui cingla le visage. Il tâtonna dans la poche de son vieux pardessus, à la recherche de sa lampe électrique.

— Paul ? Oh ? Où es-tu ?

— Devant ! Près du cairn ! Secoue-toi !

Hâtivement, le SDF suivit la voix de son ami. Il remonta le col de son manteau, le vent était vif, et trébucha contre un objet inattendu. En bougonnant, il braqua son petit faisceau lumineux vers ses chaussures.

—En vélo ! Tu veux y aller en vélo !

—Ben, oui, quoi ! T'avais tout de même pas l'intention de te déplacer à pied !

—C'est à dire que… heu…

—Il est quatre heures trente ! Il faut accélérer, mon pote, sinon, les poissons, couic ! Tu n'en verras que de la fumée !

Guy restait bêta, les pieds coincés entre le cadre du cycle.

—Mais… hum ! y a un léger problème, enfin, je crois…

—Un blème ? Y a pas de blème ! On y va.

Paul, après avoir ausculté son VTT, s'était rapidement engagé dans le chemin défoncé, son véhicule à ses côtés.

—Mais…

—Quoi encore !

Le timbre de l'enfant vibrait d'impatience.

—Eh bien, tu as peut-être un vélo pour aller pêcher mais moi pas ! répondit Guy, à son tour irrité.

—Et alors, je le savais bien. T'occupe pas : on va y aller sur le même. Mon bycle est solide pour deux.

—Pour nous deux ?

— Ben oui, je vais me mettre sur le cadre et tu vas pédaler ! T'es pas d'accord ? Tu sais faire du vélo, tout de même !

Paul n'attendit pas la réponse. Il se remit à avancer et s'effaça doucement dans la nuit. Guy s'ébroua comme un chien et allongea le pas pour rattraper le gamin et ses idées. Arrivé au bas de la butte du Pey-de-Fontaine, le jeune garçon se retourna vers Guy qui le suivait de près.

— Allez, on y va : on en a pour plus d'une demi-heure ! J'ai installé un piège hier soir en partant d'ici. Si tout a bien marché, on se cuisinera une anguille ce midi pour le déjeuner. Ce sera autre chose que tes sandwichs au simili-thon. Bon ! tu t'installes pour que je monte à mon tour !

Sans attendre plus longtemps, Guy enfourcha la bicyclette et se cala assez aisément sur la selle. Le vélo était un peu petit pour lui. C'était préférable car il n'avait pas pédalé depuis de très, très longues années.

— T'as pas peur ? demanda-t-il au garçon pour se rassurer avant tout.

— Non ! Allez, on file, lui répondit son passager, tout en s'installant sur le cadre. Je te dirai où tourner.

— J' vois pas grand-chose ! grommela Guy. On va tomber dans le fossé ! C'est moi qui te le dis !

— Mais non ! Pédale, j' t'indiquerai la direction. Pour la vision, j'ai mis les torches. Ça va aller !

Sans rien ajouter d'autre, Guy appuya pesamment sur les pédales. Le vélo s'ébranla en crissant. Il oscillait dangereusement. Heureusement pour les deux voyageurs, le chemin qui longeait la plaine des Groies était large et peu déformé. Paul riait, les cheveux dans le nez. Guy se concentrait sur ses pieds : un coup à droite, un coup à gauche, entraînant dans ce tangage tout son corps. Paul ouvrait grand la bouche et devait chanter. Guy ne percevait que des bribes de paroles. Les deux compères venaient d'acquérir un équilibre précaire lorsque Paul se retourna et cria à pleins poumons :

— À droite, Guy, à droite ! T'es génial !

Le geste de l'enfant surprit le conducteur qui, tout à coup, mélangea sa droite et sa gauche. Il donna un brusque coup de guidon d'un côté puis, immédiatement après, de l'autre. Et patatras ! Ils se retrouvèrent tous les deux au sol.

— Je t'adore, murmura Paul, tout étourdi par son atterrissage forcé.

Guy se releva rapidement, remit le vélo sur ses roues et s'inquiéta de l'enfant.

— C'est rien, j' suis habitué. Allez, on repart ! Je t'indiquerai la direction par les bras maintenant !

Et le véhicule poussif retrouva son allure cahotante, à travers l'obscurité épaisse de cette nuit de novembre. Paul prit bien le temps d'indiquer de ses bras l'itinéraire, une fois à gauche vers le village d'Angles, une fois à droite pour rejoindre le hameau de Pont-Portreau.

— Tu feras attention, il faut enjamber un tout petit pont. Ne nous projette pas dans le canal ! On n'est pas encore arrivés.

Le gosse ne gigotait plus en tous sens, et Guy avait retrouvé son aisance pour pédaler. Finalement, sa dernière virée cycliste n'était pas si ancienne que cela ! La seule chose qui l'agaçait était la sueur qui lui coulait dans le dos. Une bonne bronchite en perspective. Enivrés par l'air iodé, tous les deux filaient sur la petite digue qui joignait le lieu-dit de La Ville-aux-Conches.

— On va bientôt s'arrêter, Guy ! Près du canal de la Charrière, on sera bien.

Juste une demi-heure après son premier tour de pédales, Guy déposa le vélo contre une barrière de bois un peu vermoulu. Il était fourbu.

Déjà Paul se glissait entre les roseaux, vers l'étier. Il avait intimé à son compagnon le silence complet. L'enfant disparut entre les hauts joncs. Le vagabond perçut un semblant de farfouillis dans les herbes,

suivi d'un clapotis. À l'est, le ciel s'éclaircissait déjà
légèrement. Tout à coup, Paul se planta devant lui,
un sourire jusqu'aux yeux. Il tenait fermement une
sorte d'épuisette en jonc, comme un panier de ven-
dange, dans laquelle se débattait un serpent.

— J' l'ai eue ! Elle était venue se nicher dans mon
fagot !

— Dans ton fagot ! ?

Guy ne comprenait pas.

— L'anguille, ça niche dans les branches, les ronces.
Je suis venu hier soir placer un piège : j'ai mis plein
de bois mort pour constituer un petit tas, comme un
fagot ! Tu piges ? L'anguille, elle, elle croyait être
tranquille ici, la pauvre !

Guy ne comprenait toujours pas :

— D'où tu sors ton épuisette ?

— C'est pas une épuisette, c'est une basse !!! Je
l'avais cachée près de la barrière. Tu sais, le coin, je
le connais. Depuis le temps que j' traîne ici ! Et
encore, je ne t'ai pas emmené dans les endroits les
plus reculés. Y a des lieux où je suis le seul à aller !

Guy écoutait, il se sentait si misérable face à la
débrouillardise de ce gosse. En même temps,
quelque chose de confus le préoccupait. Paul avait
déposé la basse entre ses jambes et aspergeait l'anguille de gros sel.

— Cela ne va pas être simple de rentrer avec ce panier, constata gauchement Guy.

Le garçon ne sembla pas entendre.

— Bon, va falloir repartir ! Faut pas qu'on se fasse piquer !

— Piquer ?

— C'est pas le moment de pêcher l'anguille, et je n'ai pas ma carte sur moi.

— Ta carte ?

— Ben oui ! Mon permis de pêcheur ! Allez, Guy, on repart ! On va se régaler…

— Mais, dis-moi, avec quoi tu veux la cuire ton anguille ? J'ai pas grand-chose, moi.

— T'as pas une casserole ?

— Non, pas vraiment…

— T'occupe, j'irai en chercher une à la maison. C'est pas un problème.

— Mais enfin !…

Guy venait de toucher du doigt ce qui le préoccupait. Il fit face à l'enfant, qui fixait sans crainte ses yeux douloureux.

— … Mais enfin, Paulo, tes parents ? Qu'est-ce qu'ils disent de tout cela ? Qu'est-ce que ta mère va te dire si tu lui prends sa casserole ?

La lumière disparut des pupilles de l'enfant. Il baissa la tête, se recroquevilla un peu sur lui-même.

— Ma mère, elle n'est pas là ce week-end. Et puis, elle s'en fiche… Une casserole en plus ou en moins ! Elle fera pas la différence. Tandis que toi, hein, tu la feras la différence !

Les yeux gris-vert regardaient Guy intensément, avec désarroi. Pas d'échappatoire à cet appel.

— Oui, je ferai la différence. C'est évident. Viens, Paulo, rentrons.

8

Autour de l'anguille

Le retour vers Pey-de-Fontaine fut tout aussi rocambolesque que l'aller. Le panier de jonc que Paul tenait sous un bras rendait la conduite encore plus hasardeuse. Guy était bien obligé de s'en remettre à ce jeune adolescent qui lui dictait le chemin. L'anguille gesticulait de moins en moins. Le jour achevait de se lever lorsque Guy arrêta de pédaler.

— Very well ! T'es un champion, chantonna Paul d'une voix radieuse.

Il n'avait pas lâché la basse et se précipitait sur le chemin rocailleux, vers le blockhaus.

Guy empoigna le vélo et, sans se hâter – il était en sueur –, le poussa vers le cairn. Une anguille ! Le gamin allait lui préparer une anguille ! En avait-il seulement déjà mangé dans sa vie ? La bestiole était de taille et plutôt gluante ! Bof ! la conserve au thon semblait tout aussi attirante. Enfin, on verrait bien. Guy posa le VTT à l'entrée du bunker. Paul était assis sur le toit. Il souriait, ravi de sa prise, heureux de la surprise permanente qu'il offrait à Guy, insouciant. Ses yeux brillaient.

— Je vais lui trancher la tête, ensuite il faudra la laver, lui enlever la peau et la faire griller à la poêle. Je te charge de la nettoyer. Pendant ce temps, je vais chercher une gamelle à la maison.

Paulo la Science était debout. Il gesticulait comme un chef d'orchestre.

— Je la lave où, ton anguille ? et avec quoi ?

— Oh ! du calme ! C'est vrai qu'il n'y a pas l'eau courante ici ! Mais on doit pouvoir s'arranger. Trop risqué de revenir à la maison avec la basse. On ne sait jamais ! les voisins… Es-tu prêt à refaire du vélo ?

Du vélo ! ! ! Guy aurait préféré s'asseoir au soleil au sommet du cairn, mais comment refuser quelque chose à ce Paulo qui venait le réveiller à quatre heures du matin ?

— Un petit peu, si tu veux…

— Oui, je le veux !

Le garçon sautillait autour de Guy en brandissant son panier assez haut, comme un Indien se préparant à la guerre.

— Alors, mon cher ami, nous allons cacher l'anguille au frais dans votre trou. Puis, tous les deux, nous partirons à la maison. Ça vous va ?

Guy n'avait pas besoin d'acquiescer : déjà Paul disparaissait dans le boyau.

Il fallut donc reprendre le vélo. Auparavant, Guy était allé vérifier si son précieux sac se trouvait toujours au fin fond des salles obscures. Il était rassuré. Libres comme l'air, heureux, Paul et Guy se dirigeaient à travers champs, vers Longeville.

— Tu prendras au bout du chemin à droite, ordonna le gamin. Ensuite, tu pédaleras toujours tout droit, et hop ! on sera arrivés.

Et hop ! Comme l'avait dit Paul, le vélo s'était ébranlé à travers les terres brunes de l'hiver. Guy était impatient de découvrir les lieux où vivait le gamin. Impatient et inquiet. Si jamais il se trouvait face à ses parents, que pourrait-il bien inventer ? Un SDF n'est pas une honnête fréquentation pour un enfant. Surtout avec son allure : mal rasé, cheveux hirsutes, vêtements d'un autre âge ! Tout cela n'était pas sérieux !

À l'entrée du village, ils s'arrêtèrent devant une bâtisse de construction moderne, avec de grandes baies vitrées. On aurait dit l'éperon d'un navire.

Paul prit le guidon et se dirigea vers l'arrière de la demeure. Il fit signe à son compagnon de le suivre. Les gravillons blancs crissaient sous leurs pas. Guy regardait de tous côtés : un œil indiscret les observait-il ?

— T'inquiète pas ! Ce week-end, je suis seul. Tu ne rencontreras pas âme qui vive ici. On rentre par-derrière, on prend la poêle, un jerrican, des yaourts et on file au cairn faire griller l'anguille.

Ainsi Guy se retrouva-t-il à l'intérieur d'un salon douillet, lumineux. Le sol, recouvert d'une moquette blanc cassé, lui aurait tout à fait convenu pour passer une ou deux nuits. Les meubles modernes paraissaient sortir d'un catalogue de rêve. Il n'osait pas bouger, trop étranger à ce confort. Il prenait le temps d'absorber ce décor fabuleux qu'il ne pourrait pas s'offrir d'ici des milliards d'années. Les larmes aux yeux, il détailla le store crème, tiré ; la télévision à écran plat posée sur un meuble noir ; un tapis laineux ; un fauteuil en cuir, noir lui aussi ; quelques revues abandonnées par terre. C'était clean ! Les parents du petit avaient du goût et de l'argent. Paul observait Guy qui observait les lieux. Ils se dévisagèrent un long moment, chacun semblant jauger la misère de l'autre : Paul et sa solitude du week-end, Guy et sa solitude quotidienne.

— Hum !! Bon ! Tu as trouvé ton matériel ? demanda Guy gauchement, en pointant du menton la batterie de cuisine que le gamin portait entre ses mains. Attends, je vais t'aider.

Il s'avança vers le petit Paul, qui se ranima aussitôt.

— Eh, mon vieux, va falloir trouver un grand sac pour mettre tout ça ! C'est un vrai déménagement !

— T'es sûr que tes parents ne vont pas…

— No problem ! T'occupe ! Je te l'ai déjà dit. Allez, viens, on file !

Pour le retour, ce fut plus périlleux qu'avec la basse et l'anguille. Le paquet d'ustensiles s'avérait plus volumineux. Mais le passager et le conducteur étaient aux anges.

Pendant que Paul préparait l'anguille à la poêle, Guy jugea qu'il était grand temps de questionner le gamin sur sa famille. Ils étaient tous les deux installés sur le toit du blockhaus, là où jadis les boches avaient dû implanter un radar ou quelque objet de surveillance.

— J'ai vu une photo de ta mère, chez toi.

Silence ; Paul semble ne pas entendre et poursuit sa tâche de cuisinier. Avec une fourchette, il pousse les morceaux d'anguille pour les empêcher d'attacher au fond de la poêle. Guy se racle la gorge.

— Hum ! Elle est bien, ta mère ; c'est une belle femme. Quel âge elle a ?

Il faudrait que Paulo veuille bien se donner la peine de répondre. Guy est las des monologues et il a vraiment envie de savoir. Ce gosse est trop seul. Pas logique ! Mais le garçon n'a pas bougé. Il poursuit sa popote pendant cinq bonnes minutes encore et quand, enfin, il regarde Guy, son visage rayonne. Il sourit, le regard clair, sans aucun nuage :

— À table mon pote ! T'as des assiettes ?

Non, Guy n'a pas mis le couvert ! En bougonnant, il se relève et descend chercher de quoi dresser la table. Faudrait tout de même qu'il se confie ce petit ! Pas marrants ces silences ! Mais j'aurai l'air vraiment malin si je lui repose la même question. En plus, il risque de se bloquer, de partir. Il paraît donc préférable d'attendre, encore !

Sans rien ajouter, Guy disposa deux couverts. Paul le servit et ils se mirent à déguster le plat, vraiment délicieux. Le vagabond savourait la chair fine de l'anguille. Cela faisait bien longtemps qu'il n'avait goûté à un mets aussi simple et délicat. Deux ou trois larmes de bonheur s'échappèrent du coin de ses paupières. Il les essuya gauchement. La voix lui manquait, trop ému par ce festin amical. Paul le regardait tout en avalant sa part. Il semblait attentif aux émotions de son compagnon. Il lui laissait le temps de se reprendre sans lui adresser la parole, mais aussi sans le lâcher des yeux. Guy se sentait dénudé.

— Non… ma mère n'est pas quelqu'un de bien. Si tu veux, on peut la trouver jolie. D'ailleurs, ça, elle le sait. Jolie, oui ; mais pas bien.

Paul n'avait pas cillé ; un morceau de poisson restait suspendu à sa fourchette, immobile au-dessus de son assiette. La bouche de l'enfant s'était juste contractée, dessinant un rictus, une grimace tordue vers le bas du menton. Il fixait calmement son compagnon, et le ton de cette déclaration était celui de l'évidence, sans agressivité. Peut-être de l'amertume. Guy se trouva bête. Que fallait-il ajouter pour susciter d'autres confidences ? Que pouvait cacher cette description si lapidaire de sa mère ? Guy plongea son regard dans celui de Paul, quelques instants, interrogateur.

— Et ton père ?

La voix cassée du clochard trahissait sa tension, mais à vrai dire ce n'était pas très grave.

— Je n'ai pas de père.

Si seulement il s'était mis à pleuvoir. Cela aurait fait diversion. Mais non ! pas une goutte ! Le silence à nouveau s'imposait. Guy avala sa salive. Paul ne bougeait pas.

— Il a disparu quand j'étais bébé. Ne me demande pas pourquoi. C'est assez compliqué. Je crois qu'il se trouvait trop jeune pour élever une famille, avoir des responsabilités. Maman dit qu'il aimait la fête, les sorties, la boisson. Pas les contraintes. Mamie a une version légèrement différente. Pour elle, c'est maman qui ne le supportait plus ; de toute façon, il est parti, envolé… Pour mes deux ans, je crois. Depuis, pas de nouvelles. D'ailleurs, je n'en demande pas. Ça ennuie ma mère ; ma grand-mère, elle, pleure quand je lui pose des questions et ça ne sert à rien.

— Alors, c'est de ton père que tu devrais dire du mal !

— Non, non. Lui, je ne le connais pas. Je ne sais pas pourquoi il m'a laissé. Ma mère est restée, mais elle ne s'occupe pas de moi. C'est à peine si elle me dit bonjour quand elle me voit. On cohabite plus qu'autre chose. Mes copains, par exemple, quand ils rentrent en retard, ils se font gronder, eux…

Paul s'arrête. Il avale le morceau froid qui pendouille au bout de sa fourchette.

— Et toi ? s'enquiert Guy.

— Moi ? La maison est vide. Ma mère est à son travail, ou avec un client. Mais elle n'est pas là !

Sur ces mots, Paul sauta sur ses jambes, s'étira de tout son jeune corps, comme un chat.

— Alors, Guy, l'anguille, c'est tout de même mieux que les boîtes de conserve, non ?

Et le gosse se mit à rire.

— Viens, on va ranger tes affaires. Après je me tire.

— Mes affaires ?

— Houais, je vais te laisser tout le matériel. Pour une autre fois !

Paul s'exécuta : il ramassa les casseroles et la vaisselle, et disparut dans le ventre du blockhaus. Guy restait inerte sur la terrasse. Il planait : ce gamin lui proposait de revenir, il lui faisait confiance, il lui donnait de son temps ; comme ça. Guy se frotta les yeux en se redressant lentement. Il n'avait pas rêvé : le garçon réapparaissait devant lui, sourire aux lèvres.

— Allez, ciao Guy, et à la prochaine. T'inquiète pas, je reviendrai bientôt.

Paul sauta de la terrasse sur l'herbe et se mit à courir vers le cairn où il avait abandonné son vélo.

— Hé ! Paul !

Guy n'avait pas pu résister. Il avait eu besoin d'appeler son ami. Ce dernier s'arrêta, se retourna, leva le bras, salua de la main, puis disparut derrière les broussailles.

LA PETITE SŒUR MARIE

Tout cela posait à Guy de réels problèmes. La mendicité, la cloche existaient quand on n'avait pas d'attache, pas d'endroit fixe pour dormir, personne pour qui le cœur battait. Être SDF signifiait voyager, quémander. Guy ne s'imaginait pas aller encore une fois demander de l'aide au maire du Bernard. Ce dernier finirait par s'énerver, se lasser ; il ne faut tout de même pas prendre les bonnes gens pour des imbéciles ou des fournisseurs permanents. Guy avait établi ses comptes. Il ne lui restait qu'une quinzaine d'euros : pas grand-chose pour un homme qui ne désire plus fuir sur les routes. En se restreignant et en se contentant de conserves, il tiendrait peut-être cinq à six jours. Tout juste de quoi aller jusqu'au prochain week-end.

À ce propos, il lui faudrait également un calendrier plus fiable que sa mémoire. Paul étant scolarisé, ils ne peuvent vraiment se voir qu'en fin de semaine. Ce qui amenait un autre problème : que faire pendant les cinq autres jours ? Rester seul dans ce blockhaus pourri et humide ne constituait pas un avenir attrayant.

Guy se résolut à rencontrer à nouveau la vieille grincheuse du Secours catholique. Elle saurait bien lui indiquer quelques adresses utiles.

Surprise de le revoir, elle se permit quelques questions sur sa situation. Guy resta évasif mais lui expliqua qu'il songeait à quitter l'errance : il se trouvait las, âgé ; il aspirait à la tranquillité. Il fallait bien vivre malgré tout.

La vieille demoiselle se laissa enthousiasmer par le discours optimiste de ce clochard. Tant et si bien que le pauvre homme sortit du local avec un sac de vêtements chauds. Elle lui avait surtout donné l'adresse de quelques maisons qui pourraient avoir besoin de menus services : une communauté de religieuses ; deux ou trois personnes âgées ; des vacanciers pour leur résidence secondaire. Il ne fallait pas trop rêver, mais qui ne tente rien n'a rien !

Dès le mardi, Guy se présenta chez les religieuses, dans un lotissement d'Angles. Il avait pris soin d'effectuer une toilette plus approfondie, en repassant par le camping. Mais ce système n'était pas au top, sans eau ni électricité…

La petite sœur qui lui ouvrit la porte, un bout de femme au large sourire, fut charmante. Elle commença par lui offrir un café bien chaud, un peu surchauffé d'ailleurs.

Tout comme pour la responsable du Secours catholique, le SDF modifia légèrement la réalité. Mais en débitant le récit qu'il avait préparé, Guy se rendit compte que, finalement, ce qu'il racontait était peut-être vrai : il aimerait se poser, dormir chez lui. Il fut sans doute convaincant, car la religieuse lui proposa de bêcher leur jardin, de tailler les haies, de planter quelques oignons en terre, même si ce n'était plus tout à fait la saison. Puis, s'il voulait bien, il y avait une ou deux réparations à faire et quelques meubles à rafistoler.

Ce fut la deuxième femme en deux jours que Guy aurait souhaité embrasser ! Pauvre Marcelle.

Ainsi fut fait. Dès le mercredi, Guy travaillait. En trois jours, il regonfla sa cagnotte. Soigneusement, il rangea les autres adresses conseillées par la vieille grincheuse pas si grincheuse que cela. Le vendredi soir, son travail achevé, les religieuses lui proposèrent de se représenter la semaine suivante pour couper du bois. Ensuite, on verrait. Guy serra fort la main de sœur Marie et repartit vers le blockhaus, l'âme en paix. Demain, Paul serait là. Le week-end leur appartenait.

10

L'INSIGNE MERCEDES

Paul se fit attendre toute la matinée du samedi. Il arriva tout échevelé vers quatorze heures.

— Désolé, Guy. J'ai eu un contretemps. Une petite affaire. Allez, viens, on part à la plage. Il fait beau, faut en profiter.

Perchés sur leur vélo, ils filèrent vers Le Bouil, l'endroit préféré de Paul : le rivage sans cesse redessiné par la mer, les jeux sur les galets, la recherche d'ammonites l'enthousiasmaient.

Seul, Guy n'aurait pas eu l'idée de passer l'après-midi à la mer. Mais qu'importe, le gosse l'avait rejoint. L'inquiétude qui lui avait noué l'estomac toute la semaine à l'idée que le gamin puisse ne pas revenir se desserrait au fur et à mesure qu'il péda-

lait. Il faudrait d'ailleurs qu'il se trouve une bicyclette : ce serait plus pratique. Peut-être que la sœur
pourrait lui en dénicher une ?

Le temps était magnifique. Le ciel azuré. La mer
calme. Tous les deux s'emplirent les poumons d'air
iodé. Ils déambulèrent sur le sable humide, chacun
se laissant bercer par le vent marin, le cri des
mouettes, le ressac tranquille de l'océan. Puis ils
escaladèrent la jetée de galets blancs et, à l'abri d'un
muret de pierres sèches, ils s'assirent au soleil,
heureux.

Au bout de quelques minutes, Paul, peu bavard ce
jour-là, sortit un objet brillant de sa poche, un peu
machinalement. Il le tripotait entre ses doigts,
le regard égaré entre ciel et mer. Guy détailla le
morceau de métal que le garçon manipulait
nerveusement.

— Qu'est-ce que c'est ? demanda Guy.

Paul le regarda un peu sans le voir, les yeux comme
embués.

— Quoi ?

— Ça, là, ce machin que tu as dans les mains.

— Ben, l'insigne Mercedes !

— Tu l'as eu où ? demanda l'adulte, étonné tout à
coup de se sentir responsable du plus jeune, tout à
coup surpris de son inquiétude.

76

— Ben, sur une voiture, pourquoi?

Guy ne répondit pas tout de suite. Que fallait-il dire à ce garçon qui n'était pas le sien? Que cela ne se faisait pas?

Il s'enquit de nouveau:

— Et pourquoi tu l'as pris?

— Ben, je le vends à des copains. On se fait un peu d'argent comme ça. Moi, je veux m'acheter une mob. Alors, j'économise.

— Une mob? Ta mère peut bien te l'offrir, non? Elle en a les moyens.

Le ton de Guy ne dissimulait pas la colère qui montait.

— Non! Ma mère ne veut pas m'offrir de mob! Elle dit que je ne travaille pas assez bien et puis que c'est dangereux. Alors j' peux bien piquer des insignes sur les voitures. Ça va pas tuer les propriétaires!

Paul lui aussi s'énervait; il sentait que Guy ne l'approuvait pas.

— Et puis, tu vas tout de même pas me faire la morale, toi!

— Et pourquoi pas! Ça ne se fait pas de voler!

Guy eut du mal à se reconnaître dans cette sentence. Aussitôt, Paul se mit à gesticuler.

— Attends un peu, toi! Primo, t'es pas mon père

pour me donner des conseils ! Secundo, c'est pas un clodo qui va me donner des leçons sur la vie. Peut-être bien que tu n'as jamais volé, hein ? Qu'est-ce que t'as fait comme bêtise pour devenir clodo ? T'es pas un ange, tu ne vas pas me faire avaler ça !

Silence.

Guy n'a pas bougé. Il est assis sur un gros caillou grisâtre, comme sa vie, le regard perdu dans le sable, la tête enfoncée entre les épaules, dans son vieux pardessus tout miteux. Paul s'arrête ; il s'attendait à autre chose.

— Tu te trompes, Paulo, je n'ai pas choisi d'être un clochard, avoua Guy, la voix brisée, les yeux humides.

Paul a perdu son assurance. Peut-être bien que Guy n'est pas heureux. Debout devant l'adulte tout cassé, Paul ne sait plus ce qu'il doit faire. Poursuivre sa colère ? Déverser sa hargne ? Écouter l'autre, ce nouvel ami qui ne bouge toujours pas ? Paul finit par s'asseoir, tout près de Guy. Leurs épaules se touchent. Paul a repris son emblème ; il le tourne en tous sens. Il attend. Il sait bien que le silence est parfois nécessaire.

— Tu vois, j'étais avec quelqu'un très convenable. Il y a pas mal d'années, tu vas me dire. Franchement, tu ne m'aurais pas reconnu. J'avais un atelier à moi: j'étais maçon, et très fier de l'être. Ma petite entreprise fonctionnait bien; j'avais même un ouvrier. Un jour, j'ai rencontré Marcelle. Une jolie femme. Toujours élégante, toujours maquillée. Elle dansait tellement bien! Elle parlait encore mieux! On s'est mariés et j'ai été heureux. Le rêve: un travail, une femme, une maison…

L'océan monte tout doucement; les vagues les plus vigoureuses parviennent pratiquement aux pieds des deux égarés. Guy s'est tu, réveillant péniblement ses souvenirs. Paul est impatient de connaître la suite, mais il attend.

— … Le rêve a fini par se briser. Marcelle n'était pas pour moi: trop belle, trop fière. Elle en voulait toujours plus. Mes revenus ne lui convenaient pas. J'étais trop négligé, trop en retard, trop ceci, trop cela. Enfin, un tas de bazars comme ça. Alors, j'ai commencé par traîner… Et puis par boire au café avec des soi-disant amis. J'ai plongé et personne ne m'a retenu. Surtout pas Marcelle. Elle a inventé des histoires, comme quoi je la trompais et la battais. Elle a demandé le divorce; moi je perdais mes clients, je n'arrivais plus à respecter mon travail, ma parole. Marcelle a gagné sans problème. Je lui devais des réparations, de l'argent! Pauvres imbéciles! J'avais déjà des dettes. Et un soir, je suis parti.

J'en pouvais plus, tu comprends. Tout le monde se foutait de ma pauvre gueule, dans mon dos; tous des hypocrites, tous des lâches.

À nouveau le silence; seul le ressac rythme l'instant. Guy est encore plus tassé. Il a croisé ses mains sur ses genoux et son visage se cache au creux d'une muraille. Paul ne bouge pas. Il est sidéré. Jamais il n'aurait pensé qu'un gars qui vit tout seul, qui ne craint ni le froid, ni la nuit, ni les autres, puisse être si fragile. Il voudrait l'embrasser, mais ce n'est pas dans ses habitudes. Il se sent gauche. Alors il attend. Bientôt leurs chaussures seront trempées : la marée touche les galets.

Soudain, Guy s'ébroua, tel un chien après sa sieste.

— Bon, cela ne t'autorise toujours pas à chaparder ces insignes !

Le gamin releva les yeux, malicieux, soulagé. Il se dressa rapidement, s'éloigna de quelques pas.

— Eh ! dis donc ! Faudrait pas croire que t'es mon père ! Laisse tomber les insignes.

Et avec un large sourire, Paul lui fit un bras d'honneur. Il rit et se détourna pour sautiller sur les galets, choisissant les plus larges. Ses bras, comme des ailes de planeur, lui permettaient de ne pas tomber, tandis qu'il imitait le vrombissement d'un avion. Quelques mètres plus loin, Paul suspendit son envol, effectua une pirouette. Les cheveux au vent, il fixa Guy, resté piteusement planté près des vagues.

— Allez, Guy, essaie de m'attraper !

Déjà l'enfant disparaissait derrière les broussailles qui délimitent la plage du Bouil. Si Guy espérait retrouver le fugueur dans ce secteur de forêt domaniale, il devait se dépêcher un peu !

Vite, il se redressa et s'élança sur les traces de Paulo la Science : avec ce gamin, il s'était remis au vélo, à la pêche ; le voilà désormais qui courait ! Jusqu'où ce gosse l'emmènerait-il ?

11

J'AI BESOIN DE TOI

Cela faisait maintenant trois semaines que Guy se réveillait avec un visage pour horizon. Il était clair, désormais, que l'habitué des routes ne désirait plus vagabonder. Ce petit lui avait redonné l'envie de vivre comme les autres.

Guy ne savait pas encore comment il pourrait faire. Sœur Marie ne l'aiderait pas une nouvelle fois. L'assistance n'est pas une solution viable. Il lui fallait un peu d'argent pour le moment; bientôt, il devrait effectuer un choix important: partir, sans aucun doute. S'il attendait encore, cela ne serait plus possible. Paul deviendrait trop important. Ou rester. Mais s'il restait, impossible de se contenter de la cloche. D'abord, dans le coin, on avait déjà dû le ficher! Un homme de son allure, cela ne se fait pas!

C'est gênant. Mais pour ne plus être un clodo, c'est toute une histoire ! L'Annapurna à escalader !

Ce jour-là, Guy rentrait calmement chez lui. Il traînait les pieds, un peu déprimé. Les personnes recommandées par la sœur Marie n'avaient pas voulu de ses services. Elles lui avaient offert un sandwich. Surtout pas d'argent ! Tout le monde sait bien qu'un clochard digne de ce nom boit ses « pourboires » !

Guy en avait assez de remonter ce sentier qui menait au cairn ! Paul était bien gentil, mais ce tas de béton, ce n'était pas une vie ! Et comme il n'était que quinze heures, il bougonnait de n'avoir rien à faire pour le reste de la journée. Attendre, attendre, attendre encore que le gamin ait accompli sa semaine. Quel roman ! De colère, de lassitude, Guy envoya balader des cailloux à coups de pied bien fermes. Encore quatre jours avant le week-end !

Le SDF essaya de se reprendre : demain, il irait frapper à la porte de la deuxième adresse, du côté d'Avrillé. Il n'avait pas encore tenté sa chance dans cette direction. Guy rêvait d'un bon feu de bois… L'hiver, cette année, était humide, maussade.

Lorsque le vagabond se présenta devant le blockhaus, il découvrit, assis sur le toit, le petit Paul. Le souffle lui manqua quelques secondes, de surprise. Voyons, Guy avait bien noté les jours qui s'étaient écoulés : on n'était pas samedi !

— Qu'est-ce que tu fais là ? lança-t-il tout en allongeant le pas vers l'enfant.

— Ben, je t'attendais ! Ça se voit, non ? Où t'étais, toi, aujourd'hui ? Je suis ici depuis longtemps ! J'avais prévu une virée du côté de La Tranche.

— T'avais prévu quoi ? T'es là depuis quand ?

Guy était arrivé à côté de Paul. Il sentait la chaleur monter à ses joues.

— T'es pas à l'école ? Tu es en vacances ?

Paul relâcha tout son corps, effectua un vague geste de lassitude, baissa le regard, se détourna.

D'une voix qui se voulait neutre, il répondit :

— Et voilà ! Tu te remets à me faire la morale ! Eh bien, non, je ne suis pas en vacances ! Eh bien oui, je devrais être à l'école ! Maintenant, tu me lâches, sinon j' pars !

— Comment ça, tu pars ? Comment ça, t'es pas à l'école ?

Guy, malgré lui, devenait agressif. Il ne voulait pas que Paul devienne un marginal. Un dans la famille – la famille ? –, cela suffisait !

— Pourquoi n'es-tu pas à l'école aujourd'hui ?

— Pas envie !

Le gamin est descendu du bunker, ses yeux sont ternes, son visage fermé. Guy a remarqué que le gosse a serré les poings, mais il ne peut pas se taire:

— Pas envie! En voilà une explication! Non, mais ça va pas, non? Tu crois que moi j'ai…

— Oh là là, ça va! Tu m'énerves avec tes remontrances d'un autre âge! Ça suffit!

Paul court, il s'échappe. Guy n'a pas su le retenir. Il ne peut que fixer le vélo qui disparaît petit à petit vers la plaine des Granges.

Qu'aurait-il fallu dire? Guy ne pouvait pas se reprocher ses remontrances, mais maintenant, c'était vraiment malin, Paul l'avait quitté!

Guy arpenta la terrasse, fulminant contre lui-même, contre le monde entier! Et pourquoi l'école laissait-elle traîner ainsi la jeunesse? Et sa mère? Elle aurait dû le ramener au collège, lui montrer le droit chemin!

Tout à coup, Guy s'immobilisa, le doigt en l'air. En général les parents signalent aux professeurs les absences de leurs chérubins; ou alors, ils sont avertis. Si sa mère ne le recherchait pas, et cela en avait tout l'air, c'était qu'elle ne le savait pas. Si elle ne le savait pas, c'était qu'elle n'était pas joignable, donc pas chez elle. D'ailleurs, Paul avait pris la direction de Longeville.

Guy courut dans sa chambre forte, attrapa son sac de sport dans lequel il empila ses vêtements. Pourquoi ? Il ne le savait pas. Vite, il remonta à l'air libre et, sans attendre, s'élança vers Longeville. C'était décidé : si Paul n'allait pas à lui, c'est lui qui irait à Paul.

Tout le long du chemin, le cœur de Guy battait la chamade : que dirait-il au gamin en arrivant chez lui ? Quelles raisons lui donnerait-il pour s'excuser de lui courir après ainsi et de s'occuper de ses affaires ? Pas un instant cependant il ne songea à rebrousser chemin. Il fallait qu'il revoie son jeune ami maintenant. Demain, ce serait trop tard. Demain, ils n'auraient plus rien à se dire.

Ce fut dans la précipitation que Guy poussa la porte de la grande maison-bateau de Paulo.

— Paul ! T'es là ? cria l'intrus de toutes ses forces sans se préoccuper de la présence possible de sa mère.

— Oui, je suis là.

Paul se tenait à quelques mètres de Guy, sous l'escalier. Son sweat blanc, qui une fois de plus lui descendait jusqu'aux genoux, le rendait quasiment immatériel dans la pénombre des marches. Il avança de deux ou trois pas, un CD dans les mains.

Ses yeux bleus, gris, verts – on ne saurait décidément jamais – brillaient d'émotion. Des larmes ? Sa bouche dessinait un sourire, doux. Sans amertume. Au contraire, tout le visage de l'enfant exprimait une sorte de bonheur, indéfinissable, une joie intérieure explosive. Guy réalisa que le « oui, je suis là » avait été prononcé doucement. Mais cet instant où le gosse avait laissé s'exprimer sa faiblesse, un manque, était déjà oublié, effacé. Paul venait de se ruer vers Guy, son CD toujours dans la main. Maintenant, il étreignait l'homme. Il le serrait fort, le secouait tout en piaillant :

— Sacré Guy, t'es venu ! Sacré Guy, tu ne m'as pas laissé tomber ! J' t'ai pourtant bien envoyé promener ! Ah ! Guy, t'es un pote, toi, c'est sûr !

Et tout à coup, changeant du tout au tout :

— Mais dis donc, tu pues ! T'as couru ? Tu sens la transpiration à bloc ! Beurk !

Et le gosse dévisageant l'adulte rencontra le sac qui semblait sortir du manteau.

— T'as fait tes valises ? Tu pars ?

L'enthousiasme s'effondra soudain. Le vagabond sortit alors de son engourdissement d'ours. Jusqu'alors, l'effervescence qu'il avait provoquée l'avait privé de parole. Mais il ne voulait pas que Paul se fasse de fausses idées.

— Non, non, je ne sais pas très bien pourquoi j'ai apporté mes affaires.

Tout en prononçant cette phrase, Guy eut une idée lumineuse.

— Enfin, Paulo, je te demanderais bien quelque chose, mais cela me gêne un peu.

Le jeune adolescent avait retrouvé son sourire, il était reparti vers l'escalier pour déposer son disque sur des rayonnages prévus à cet effet.

— Vas-y, Guy, je t'écoute. Si je peux t'aider…

— Eh bien, tu as raison, je ne sens pas très bon. Tu comprends, je n'ai pas fréquenté un seul foyer d'accueil depuis mon arrivée. J'essaie de rester propre, de faire un peu de toilette… Mais dans une casserole… tu admettras que, vraiment, on peut trouver mieux ! La silhouette blanche était revenue près de l'homme qui regardait avant tout ses pieds, des chaussures déformées, mal cirées, posées à plat sur la moquette blanche et moelleuse.

— Enfin, Paul, ta mère, est-ce qu'elle est là ?

Paul écarquilla les yeux.

— Ma mère ? Mais pourquoi ?

— Écoute-moi : si ta mère n'est pas là… Si tu es certain, mais absolument certain, qu'elle ne rentre pas tout de suite, certain, tu m'entends bien, eh bien… voilà…. j'aimerais bien me laver ici.

Maintenant que c'était dit, Guy releva le nez. Il avait l'air aussi piteux qu'un bambin qui aurait cassé un jouet précieux.

Paul effectua une pirouette dans l'espace libre et aéré du salon. Il éclata de rire. Puis il revint devant Guy, toujours figé dans ses vieux souliers.

— Eh bien, je suis certain, mais absolument certain, que ma mère ne reviendra pas avant demain soir. Je dois manger chez ma mamie ce soir. Elle m'attend vers dix-neuf heures. Tu pourras te prélasser dans la baignoire le temps que tu voudras. Et mieux, mon cher Guy, ce soir, tu es mon invité, mon invité de marque, attention ! Ce soir, mon pote, tu dors ici, puisque, en plus, t'as amené tes affaires. Tu n'as pas le droit de dire non.

Paul dessina une révérence jusqu'aux pieds de Guy. Tout secoué par cette proposition de luxe, le pauvre homme éprouva le besoin de s'asseoir. Il fallait qu'il respire, qu'il mesure son bonheur ! Jamais, en venant récupérer Paul, il n'avait imaginé être accueilli ainsi. Ce petit diable têtu était un magicien de tout instant. Le sac échoua sur les poils laineux du tapis ; Guy s'enfonça dans le canapé en cuir noir, un peu froid, mais ô combien réconfortant. Rien à voir avec les banquettes en ciment du blockhaus !

—Eh bien… À vrai dire, finit-il par susurrer, ta proposition me convient totalement. Mais, je ne veux pas te déranger…

Guy releva enfin la tête : ses joues burinées étaient fendues par un vrai large sourire, surmonté de deux billes scintillantes de reconnaissance.

12

LA MAISON DE PAUL

Paul s'était échappé vers dix-huit heures trente, comme prévu. Auparavant, pour s'occuper, les deux désormais inséparables s'étaient installés à terre pour jouer au Uno. Paul avait insisté auprès de Guy qui avait prétexté ne pas en connaître les règles : pas grave, c'est fastoche, je vais t'apprendre ! Et il était vrai que ce jeu ne demandait pas une intelligence démesurée.

Guy avait ôté son pardessus et le petit Paulo la Science lui avait alors suggéré de passer ses vêtements à la machine à laver puis au sèche-linge.

— Écoute, on va programmer à trente degrés. C'est ce que ma mère me conseille chaque fois qu'elle part : à trente degrés, aucun risque de changement de couleur ou de rétrécissement ! Et puis, de toute façon, s'il t'arrivait quelque bricole, je foncerais demain t'acheter des fringues.

— Ah oui ! et avec quel argent ? avait interrogé Guy étourdiment, crânement aussi.

— Recommence pas, Guy. Je sais me débrouiller !

En quelques secondes, Paul vida le contenu du sac de sport dans le tambour de la machine. Le sèche-linge finirait le travail et bientôt Guy pourrait revêtir une tenue impeccable, sentant le linge propre. Une pure joie !

Pour le moment, il barbotait comme un bébé dans l'eau de son bain. Ah ! si Marcelle pouvait savoir tout cela ! Elle suffoquerait de jalousie ! Une salle de bains aussi luxueuse, elle pouvait toujours attendre pour se l'offrir ! Blanc et bleu, dans le goût marin, avec des billes transparentes bleu marine, bleu outremer, bleu azuré, dans des bocaux décoratifs ; des tubes de soins à n'en pas finir ; sèche-cheveux... Enfin, Marcelle n'aurait jamais cela. Et tant mieux ! D'ailleurs, Marcelle, Guy se demandait si elle existait bien encore... Il n'y pensait vraiment plus beaucoup. Enfin elle le lâchait. Et cela aussi était un vrai plaisir.

Paul rentra vers vingt et une heures. Il avait expliqué à sa grand-mère qu'il avait une rédaction en français à terminer pour le lendemain. La mamie s'était empressée de nourrir le petit et de le renvoyer au nid : il fallait respecter les professeurs, leurs intentions étaient louables.

Tout en écoutant Paul rapporter ses derniers exploits, Guy se demandait où se tenait la part de vérité chez cet enfant livré à lui-même. Son père était-il réellement parti ? Sa mère existait-elle comme Paul l'avait esquissée ?

Après son bain au jasmin, le vagabond, chaudement emmitouflé dans ses vêtements propres, s'était permis une petite visite des lieux.

La première pièce était la chambre du gamin : un tas de bricolages jonchait le sol : des avions en papier, des voitures en legotechniques, des maquettes en bois... Parmi ces constructions traînaient quelques vêtements, des bandes dessinées, des Gaston ! Guy en avait pris un sous le bras pour passer sa soirée. Malgré ce déballage, on pouvait discerner un certain goût dans l'harmonisation du décor, encore dans l'esprit marine.

Il découvrit ensuite la chambre de la mère de Paul. Toute en douceur. Devant une vieille commode Louis XVI, le SDF s'attarda sur quelques portraits. Il reconnut Paul, âgé de deux ou trois ans, les cheveux déjà dans les yeux. Il était dans les bras d'une belle femme, une grande et élégante brune, à la mise très sophistiquée : lunettes noires, cheveux mi-longs, toilette soignée. Toujours souriante. Près du lit, Guy trouva une autre photographie, plus petite : celle d'un homme, un peu style 007, distingué, légèrement British.

— C'est le jules de ma mère.

Guy faillit lâcher le portrait. Il n'avait pas entendu Paulo rentrer et s'était fait prendre comme un lapin ! Vraiment malin !

— Je me suis permis de jeter un œil… dit-il bêtement.

— Pas grave. Mais ma mère n'aime pas trop que je rentre ici. Alors, si cela ne te dérange pas, on va descendre au salon. Ma chambre à moi, c'est pas rangé ! Je vais te donner une couverture. Tu dormiras sur le canapé. Ça t'ira ?

— Oui ! très bien !

Guy n'en demandait pas tant. Mais il voulait vraiment que le gosse arrive à lui parler davantage de sa mère. Sur les photos, elle semblait gaie et affectueuse. Or, Paul ne semblait pas la porter dans son cœur !

La soirée fut paisible. Guy s'était rapidement glissé sous les couvertures. Bien calé par un oreiller, il avait regardé la télévision, des variétés, sans crainte d'être dérangé par un autre clodo ou par un surveillant de foyer mal luné. Jamais il n'avait regardé une émission allongé ainsi. Chez eux, ils ne possédaient qu'un seul petit écran ; Marcelle le monopolisait souvent et avalait toutes les séries américaines, tous les téléfilms, tout ce qu'elle pouvait, sans aucun critère de choix. Pas question pour Guy de regarder un reportage historique ou géographique. Émissions sans intérêt pour sa femme qui n'était jamais sortie de son trou alors qu'elle se rêvait top-model, star ou princesse de sang. Cela l'avait souvent amusé. Enfin, façon de parler…

Paul s'était étendu sur le ventre, à même la moquette. Pendant un long moment, ni l'un ni l'autre n'avait parlé, captivés apparemment par les vedettes qui défilaient. Guy savourait son confort. Il s'était laissé prendre par le spectacle et avait oublié quelques instants, une demi-heure peut-être, sa situation précaire. Puis la réalité lui revint. Il se redressa un peu, racla le fond de sa gorge comme chaque fois qu'il avait quelque chose d'essentiel à dire.

— T'es certain, Paulo, que ta mère ne rentrera pas cette nuit ? Tu imagines sa tête si elle me découvrait sur son canapé ! Je ne voudrais pas qu'elle ait une syncope !

Paul s'assit en prenant appui contre le sofa. Il ne lâchait pas le présentateur du regard.

— Je t'assure, t'as rien à craindre, elle n'arrive que demain soir.

Plus rien. Le gamin buvait les paroles d'un chanteur mal peigné. Nouveau raclement de gorge.

— Elle est où, ta mère ? Parce que, franchement, je trouve vraiment bizarre qu'elle te laisse tout seul comme ça !

— Bizarre ? Non, habituel, fréquent, banal. Ça étonne pas mal de monde. Mes profs ne veulent pas me croire quand je leur explique que ma mère est invisible. Chaque fois, c'est moi qui me fais attraper. Mais je ne mens pas. Je vis presque toujours seul ici !

Guy sortit de son lit de camp et s'assit près de Paul.

— Pourquoi elle part, ta mère ?

L'enfant détourna enfin les yeux de l'écran et fixa quelques secondes son ami. Aucun battement de cils. Il était calme.

— Elle travaille parfois, elle va voir son jules les autres fois. Ou de temps en temps, elle passe la nuit chez une amie. Elle aime l'indépendance, c'est ce qu'elle dit.

— À qui ?

— À mamie.

— Ta grand-mère voudrait… que ta mère reste avec toi ?

— Je crois que oui. Elles se disputent constamment. Souvent à cause de moi. Mamie voudrait que maman surveille mes leçons ! « Tu t' rends pas compte, ses notes sont lamentables alors que ses professeurs disent qu'il est intelligent ! — Comment le sais-tu ? lui répond ma mère. — Ils m'ont téléphoné, rétorque ma grand-mère. — Mais j'ai bien le droit d'avoir une vie à moi ! crie ma mère. — Et la sienne ! On ne sait même pas où il traîne ! » hurle mamie. Quand c'est comme ça, je les laisse régler leurs histoires, je prends mon vélo et j' me tire. Elles radotent toutes les deux. J' connais leurs chansons par cœur.

L'émission était achevée. Paul détailla les publicités qui défilèrent à toute allure. Guy aurait dû lui aussi s'émerveiller devant les spots. Mais ce soir-là, il restait fixé sur la tête blonde qui venait de s'exprimer sans colère ; avec indifférence, même.

— Dis-moi, Paulo, pourquoi l'ami de ta mère ne vit-il pas ici avec vous ? Elle serait plus souvent avec toi. Ce serait plus simple !

Paul se releva, s'étira de tout son long, saisit la télécommande pour éteindre le poste de télévision et vint s'installer sur la couette du canapé.

— Il ne m'aime pas. Enfin, il ne veut pas s'occuper d'un gosse. Lui aussi, il veut être tranquille.

— Lui aussi.

— Oui, lui aussi. Alors, tu vois, ma mère et moi, on cohabite sous le même toit, c'est tout. Elle ne veut pas de conflit ; si je désire quelque chose, en général elle accepte. Les profs, ils comprennent pas qu'elle ne m'aide pas le soir. Moi, les devoirs, l'école, c'est pas mon truc. Ma mère dit que ça me regarde. Elle a essayé, une fois ou deux. J'ai joué la comédie, j'ai crié, j'ai pleuré. Elle n'a pas insisté. À vrai dire, je crois qu'elle s'en fout. Y a que pour mamie que de temps en temps je fais un effort. Mais jamais quand ma mère est là. Et puis, c'est vrai, quand j'écoute bien à l'école, c'est souvent suffisant pour attraper un dix sur vingt.

— Ben alors, pourquoi t'es pas allé au collège aujourd'hui ?

Paul se leva et se dirigea vers les escaliers qui menaient à sa chambre.

— C'est l'heure d'aller se coucher, Guy. T'as pas deviné pourquoi ?

— Non, reconnaît humblement l'homme.

— J' voulais te voir, tout simplement.

Et Paul disparut vers le premier étage.

Guy se demanda longtemps s'il avait correctement entendu ces dernières paroles. Il ne réussit pas à dormir. Il avait peur. Ce gosse avec lequel il avait sympathisé, il faudrait le quitter. Ce rêve qu'ils vivaient ensemble finirait par s'achever. Guy n'était pas la belle Cendrillon. Peut-être garderait-il une pantoufle de vair comme souvenir, mais le merveilleux s'achèverait là. Comment imaginer un après ? Paul et lui étaient obligés de se séparer. Guy n'avait pas d'avenir, n'était pas une personne, était personne, n'était rien. Paul avait une mère qui, même partiellement irresponsable, n'accepterait jamais un clochard chez elle. D'ailleurs, dans ce cas totalement farfelu, Guy ne serait plus un SDF. Peut-être aussi que Paul ne l'aimerait plus, s'il devenait un ADF ?

Il ne s'endormit qu'au petit matin, avec des nœuds à l'estomac.

13

UNE MAISON POUR GUY

— Bon, Guy, tu peux rester ici jusqu'à midi, mais après, tu te casses avec tes affaires.

Paul avalait son bol de céréales à toute allure. Il tenait à ne pas rater le car et voulait être présent pour l'appel ; sa mère rentrait dans la journée.

Guy sirotait son café brûlant, savourant l'arôme bien frais. Il était un peu perdu. Qu'allait-il faire, passé midi ? Où irait-il déposer son paquetage, cette fois ? Retourner au blockhaus ? Hum… Ce serait recommencer à attendre le gosse. Jusqu'à quelle date ?

Paul se servit un jus de fruits, rangea quelques boîtes, le sucre, partit chercher ses affaires d'école et revint dans la cuisine.

— Écoute Guy, j'ai bien réfléchi cette nuit. Le

blockhaus, ça ne peut plus durer. C'est sale, humide et froid. Je ne veux pas y retourner.

Petite pause. Le vagabond retint sa respiration. Paulo le chassait-il de sa vie ?

— Ce soir, je vais te trouver un coin tranquille pour passer l'hiver. Une maison. Bon ! T'auras pas tout le confort, faudra pas être hyper exigeant. Mais tu seras mille fois mieux que dans ton bloc en béton.

— Une maison ? coupa le clochard tout éberlué.

— Je n'ai pas le temps de t'expliquer. Attends-moi ce soir à huit heures, à la plage du Bouil. Allez, ciao !

À nouveau, Guy se retrouva seul et désemparé. Quelle idée ce gamin allait-il mettre en place ? Quelle maison voulait-il lui donner ? Guy se sentait trop heureux pour refuser. À dix-neuf heures tapantes, il se trouvait au Bouil, assis sur les galets blancs, son éternel sac en skaï à ses côtés. L'heure d'attente lui parut bien longue. Il n'arrêtait pas de se lever, d'arpenter la grève, en s'éclairant de sa lampe de poche. L'air marin était vif, le vent assez fort. Il faisait nuit noire lorsqu'il perçut le grincement d'un vélo. Il s'immobilisa et se raidit dans l'espoir d'entendre la voix de Paul. Il identifia le bruit sourd d'un objet qu'on abandonne dans les taillis, suivi de pas amortis par le sable ; puis enfin, le timbre bas de la voix familière :

—Hep ! Guy ! t'es par là ?

Immédiatement, l'homme lança des signaux lumineux et les deux amis se rejoignirent.

—Hum, j'ai eu du mal à m'échapper. Ma mère était soupçonneuse, ce soir. Alors, on se dépêche. Je t'emmène dans un endroit génial ! On en a pour une bonne heure de vélo. Mais tu verras, tu seras peinard !

Guy se retrouva sur la selle et Paul sur le cadre, comme aux premiers jours de leur rencontre. Ils étaient toujours aussi heureux, peut-être davantage encore parce qu'ils se connaissaient, et que chacun désormais avait besoin de l'autre.

Paul guida le convoi vers La Faute-sur-Mer. Là, Guy se dirigea vers La Pointe-d'Arçay. Après un village de vacances, Paul lui demanda de bifurquer sur la droite, dans un chemin boisé. Au bout de quelques mètres, le gosse chuchota :

—Stop ! On est arrivés.

Guy était en sueur. Il avait pédalé ferme pendant trois bons quarts d'heure ; son cœur palpitait. Devant eux, il devina un muret surmonté d'une grille aux pics blanchâtres. Derrière, entre les troncs des sapins, la silhouette d'un petit pavillon.

— Bon ! On passe par-dessus. Je n'ai pas les clés de devant. La grille doit rester fermée, ainsi que les volets de ce côté de la route. Comme ça, personne ne saura que tu es là.

— Attends ! Cette maison, elle est à qui ? Comment peux-tu savoir que je serai peinard ? J'ai pas envie de me retrouver au trou, moi !

— Tu y serais pourtant au chaud, rétorqua le gamin en riant. Allez, viens. T'as rien à craindre, fais-moi confiance.

Paul se hissa par-dessus les barres de fer et sauta à l'intérieur de la propriété. Guy hésitait, de l'autre côté, les bras ballants. Paul s'énerva un peu :

— Écoute, il faut que je rentre ! Sinon ma mère va râler… Je n'ai pas que ça à faire ! Tu ne crains rien ici : c'est la maison d'une amie d'une de mes tantes. Elle ne descend ici que l'été. Même pas à Noël ni à Pâques.

— Comment le sais-tu ? Comment peux-tu en être sûr ?

— Oh, ça va ! Tu me gonfles. Si tu veux la preuve par dix, sache que je suis venu de très nombreuses fois avec ma mère ou ma tante, pour vérifier que tout allait bien, que la maison était toujours là, etc. Maintenant tu passes la grille ou je te laisse là, dehors, tout seul ! ! !

Sans plus attendre, Guy balança son bagage par-dessus la clôture, escalada à son tour le muret et la ceinture en fer. Puis il atterrit aux côtés de Paul.

— Allez, je t'installe et ensuite, basta pendant quelques jours. Je te dis, ma mère se méfie.

C'est ainsi qu'à la mi-décembre Guy se retrouva domicilié dans une petite maison qu'un couple de Parisiens n'occupait que l'été. La résidence était composée d'une salle de séjour-cuisine au rez-de-chaussée et de deux chambres avec salle de bains à l'étage. Mobilier très simple, en pin.

Paul avait dû forcer la serrure d'une porte à l'arrière de la maison. La tante cachait trop bien les clés. Puis il avait déclaré que tout se passerait bien puisque, de toute façon, personne ne vivait sur cette presqu'île. Immédiatement après ces explications, le gamin disparut dans la nuit noire.

Guy se sentit d'abord perdu. La Faute, il ne connaissait pas vraiment. L'aller avait duré quarante-cinq minutes ! Il se sentait loin de Longeville et de son ami. Cette maison isolée l'inquiétait. Vivre en intrus lui était désagréable, risqué. Cependant, pour le moment, il n'avait guère le choix.

À la lumière de sa pile électrique, le vagabond explora les lieux, enclencha le disjoncteur et ouvrit la vanne d'eau. Il découvrit des radiateurs électriques. Aussitôt son inquiétude se fit plus légère : il aurait chaud ! Satisfait, il grimpa à l'étage, choisit la chambre qui possédait deux lits, ouvrit les placards et y trouva deux couvertures en bon état. Aussitôt, il déposa son vieux sac en plastique, tira le dessus de lit grenat, étendit une première couverture sur laquelle il s'allongea, en se couvrant avec la deuxième.

La gifle

Guy passa une nuit très agréable et ne se réveilla que tard dans la matinée. Les jours et les nuits défilèrent ainsi, sereinement. Le SDF ne cherchait plus de solutions à ses problèmes. On verrait plus tard, lorsque le besoin se ferait sentir : pour le moment, le nouvel ADF se laissait bercer par la chaleur des convecteurs, les visites que lui faisait Paul, principalement le week-end. Se voir pendant la journée était devenu impossible : la distance entre Longeville et La Faute, trop importante, empêchait une escapade de quelques minutes.

Guy refusait que Paul sèche l'école. Tous deux avaient discuté âprement de ce point litigieux, un soir, chacun dans son lit. Ce samedi-là, Paul avait amené avec lui une réserve importante de boîtes de conserve, yaourts, fruits et autres victuailles. Du fond de son sac à dos, il avait enfin sorti un pyjama.

— C'est pour quoi, cette tenue ? avait demandé Guy, espérant que Paul resterait pour la nuit.

— Que veux-tu faire avec un pyjama ? avait répondu l'adolescent, un sourire malin au coin des lèvres. Tu veux en décorer les murs ?

— Non… Tu dors ici ? avait repris Guy en essayant de prendre un air détaché.

— Ben, oui, je dors ici !

Ils avaient fait la fête. Guy avait mijoté un riz à l'indienne. Ils avaient fait sauter des crêpes au beurre. En fouinant bien dans les placards, il avait même découvert quelques restes, dont un paquet de farine. Ses bons principes avaient fini par s'estomper. Quelques grammes de farine de plus ou de moins, la propriétaire n'y verrait pas de différence. D'ailleurs, l'été suivant, la date limite de consommation serait dépassée. Alors…

Après dîner, ils s'étaient installés dans la même chambre. Guy se décida à mettre au clair quelques questions. Bien au chaud sous les couvertures, il s'était lancé sur un terrain qu'il savait miné : l'école.

— Paulo, il faut que je te dise…

Guy, assis bien droit, les bras en arrière pour se caler, fixa l'enfant qui rêvait les yeux ouverts.

— Hum ?

— C'est au sujet de l'école…

Paul tourna son regard candide vers son ami. Qu'allait-il lui raconter ?

— Eh bien, commença Guy un peu tendu, eh bien, je voudrais bien, j'aimerais, enfin je ne veux plus que tu rates des cours. La semaine dernière encore, tu es venu me voir. C'était un mardi, et le mardi, tu dois être au collège !

— C'est pas vrai. Tu te trompes, c'était un mercredi.

Guy se dégagea de ses couvertures et fit face à l'adolescent qui venait de lui répondre brutalement.

— Écoute, Paulo, ça suffit comme ça. Je suis très heureux quand tu viens me voir. Là n'est pas le problème ! Mais toi, tu dois aller à l'école. C'est ton boulot ! Une semaine, ce n'est pas bien long. Je ne m'ennuie pas : j'ai commencé à chercher des petits travaux dans le secteur. J'ai plusieurs adresses. Je suis retourné voir la petite sœur d'Angles. Elle était ravie de me revoir. En tout cas, c'est ce qu'elle m'a dit. Alors, ne te préoccupe pas pour moi. Ne rate plus l'école ! Il faut que tu travailles !

L'adolescent tout à coup se redressa à son tour et, d'un bond, s'agenouilla face à l'adulte. Le doigt en avant, accusateur, il lança :

— Et pour quoi faire ? Pour apprendre quoi ? Des âneries ! Des tas de choses qui ne me serviront jamais ! Et puis après, finir comme toi ! Un clodo avec instruction. Et puis voilà, rien d'autre !

La gifle claqua sur la joue du gamin. Il y eut un lourd silence. Les deux égarés se regardaient sans un mot, les yeux brouillés de larmes. Celles des échecs, des doutes, mais aussi du bonheur de compter enfin pour quelqu'un.

— Excuse-moi, Paulo, finit par murmurer Guy.

Paul se mit à pleurer doucement. Guy prit l'enfant dans ses bras. Le petit ruisseau se mua en tempête : Paul étouffait sous les sanglots et les hoquets. Un trop-plein se déversait ce soir-là dans une maison réquisitionnée, au bout d'une pointe de terre. Entre deux spasmes, Guy entendit :

— Et pour qui tu veux que je travaille ? Ma mère, elle s'en fout. Elle n'est jamais là.

Guy attendit que le calme se fasse dans le cœur de son protégé.

— Écoute, Paul, fais-le pour moi. Si un jour je retrouve du travail, ce sera justement parce que je possède de l'instruction. Alors, va à l'école et travaille pour ton copain Guy. Promis ?

Paul ne répondit pas. Il se sépara de Guy, se glissa sous les couvertures. Son ami ne demanda rien de plus. Il était juste déçu parce qu'il aurait aimé que le garçon le lui jure. Le cœur serré, il se recoucha à son tour.

Mais le dimanche, au moment de partir, Paul lui dit:

—Pour l'école, je vais essayer de te faire plaisir. Enfin… je te le promets: je ne louperai plus les cours.

15

Puis il y eut la nuit du 20 décembre.

Guy avait passé sa journée à marcher à droite et à gauche, pour remonter son petit pécule et son stock de nourriture. Le Secours catholique de Luçon lui avait donné deux ou trois boîtes de conserve. Les jours suivants seraient corrects. Rien de succulent, mais bien des familles ordinaires se contentaient de pâtes et de riz le soir ! Guy était surtout ravi d'avoir obtenu de la gérante trois romans qui traînaient dans le local. Peu de Sans Domicile Fixe s'intéressaient à la lecture. Elle les lui avait offerts avec un large sourire.

Aussi, ce soir-là, Guy s'était-il calé au creux de deux oreillers et, heureux de son sort, il dévorait les pages imprimées. Il pleuvait. Une pluie drue, serrée, froide, qui martelait constamment les volets de coups sourds. Guy leva plusieurs fois les yeux vers la fenêtre, appréciant tout particulièrement sa chance. Il savait bien que celle-ci ne serait pas éternelle, mais il avait décidé de ne pas s'attarder sur de sombres pensées, pour savourer le moment présent. Il se lança donc sur les traces de son héroïne chinoise. Le dépaysement était total... Guy ne perçut pas le crissement d'un VTT qui remontait difficilement l'allée.

Paul était trempé jusqu'aux os, submergé de sanglots. Sa mère lui avait annoncé que son ami vivrait désormais avec eux, que cela plaise ou non à son fils. « Si tu n'es pas content, tu iras chez ta grand-mère ! » Elle n'avait pas le droit de faire ça ! Paul était chez lui ! Cette maison où il passait de si longues heures, c'était tout son univers ! Il se l'était appropriée. Elle représentait son enfance volée, sa liberté. La partager avec sa mère lui avait toujours paru logique. Tout avait bien fonctionné ainsi : sa mère absente, il était le maître à bord ! Et voilà qu'elle l'anéantissait en lui imposant la seule personne qu'il haïssait : son mec à elle ! Celui qui la retenait hors du voilier, hors de leur maison. Jamais, lui, Paul, ne se laisserait commander par un étranger, un intrus, un faux jeton, qui l'avait toujours rejeté. Jamais il ne pourrait supporter le regard de celui qui, dès le départ, lui avait pris l'affection de sa mère. Tout cela, Paul le lui avait craché au visage, une heure plus tôt. Elle avait simplement éclaté de rire. « Tu t'y feras. Ce n'est pas compliqué ; je ne te demande pas de décrocher la lune tout de même ! » Alors, Paul avait claqué la porte. Il l'aurait frappée, sa mère. À mort. Il avait saisi son vélo et, le cœur en feu, il s'était jeté sous la pluie. Vers Guy.

Le garçon abandonna violemment son vélo devant la barrière.

— Guy ! s'époumonait-il à travers ses hoquets de rage et de désespoir. Guy !!

Mais les trombes d'eau noyaient son appel. La grille était restée fermée à clé. Foutue grille ! Pouvait pas être ouverte pour une fois ! Paul s'accrocha de toutes ses forces aux barreaux ; son visage ruisselait, ses cheveux lui collaient à la peau.

— Guy ! Bon Dieu ! réponds-moi !

Paul s'acharnait à secouer la barrière en fer. Il rugissait de dépit, frappait des pieds et des mains l'obstacle impassible. La colère multipliait pourtant ses forces. Tout à son désarroi, il escalada gauchement le muret et se hissa sur les barres pour les enjamber, comme il le faisait régulièrement pour rejoindre son ami. La pluie, la course folle pour atteindre La

Faute, sa révolte firent qu'il maîtrisa mal ses mouvements. Un geste brusque pour dégager sa jambe, et il dérapa. De tout son poids, son corps s'affaissa sur les flèches de la grille, pour s'écrouler deux mètres plus bas, sur le sable du jardin. Il hurla de douleur, porta sa main à sa cuisse et sentit un liquide visqueux, chaud. Le cœur serré, il regarda ses doigts pleins de sang.

— Guy !

Le clochard ferma son livre et sauta de son lit.

Cette fois, il en était certain, il avait bien entendu son nom à travers le rideau de pluie. Quelques minutes plus tôt, il avait déjà eu un doute. Mais à cette heure-ci, qui pouvait bien traîner dans ce lieu perdu, surtout par un temps pareil ! Guy s'était alors replongé dans son histoire. Maintenant, il fallait qu'il vérifie, l'appel l'avait saisi. Paul ! On aurait dit la voix de Paul ! Guy enfila un pantalon, un pull, ses chaussures et descendit, tendu. S'il avait rêvé et si un gars de la cloche, comme lui, l'attendait derrière la porte pour lui dérober sa planque ? Sans bruit, il s'approcha de l'ouverture. Seules les rafales de gouttes tambourinaient sur le bois.

— Bon ! eh bien allons voir !

Tout doucement, il ouvrit la porte sur la nuit profonde et son silence, seulement perturbé par la

114

pluie. En descendant de sa chambre, Guy s'était muni de sa fidèle lampe de poche. Il n'avait pas allumé l'électricité en bas, pour ne pas révéler sa présence. Enfin, rassuré par l'absence totale de mouvement, il braqua le faisceau lumineux à terre et s'avança vers l'avant de la villa, furtivement, attentif au moindre bruit. Il approchait du portail lorsqu'il découvrit à deux ou trois mètres, vers la droite, la masse d'un corps. Guy accéléra immédiatement le pas, un terrible mal au ventre : il avait identifié les cheveux blonds de Paul, le sweat de Paulo, l'odeur de Paul ! En un quart de seconde.

— Mon petit bonhomme ! Qu'est-ce qu'il t'arrive ? Le grand gaillard s'agenouilla près du corps recroquevillé. Il passa sa main sur la face du garçon pour repousser les mèches poisseuses.

— Paulo ! Paulo, mon gars ! Réveille-toi ! Mais Paul n'ouvrait pas les yeux.

En se penchant vers la bouche du gosse, le vagabond perçut un faible gémissement. Le gamin râlait de douleur dans son inconscience. Guy détendit alors les bras et les jambes de l'enfant et découvrit la cuisse déchirée : une entaille d'une bonne dizaine de centimètres parcourait le pantalon trop grand et laissait apparaître une plaie béante, recouverte de sang coagulé. Guy souleva immédiatement le corps meurtri et se hâta de le transporter à l'intérieur de la demeure. Sans prendre le temps de refermer la porte, il fila à l'étage pour déposer le blessé sur son lit. Il ouvrit la lumière, acheva de déchirer le pantalon et observa une mauvaise blessure. Il n'était pas expert en médecine, mais il lui sembla que l'os était brisé, que peut-être c'était le fémur qui avait ainsi abîmé les chairs. Guy sentit l'urgence l'assommer. Il s'assit quelques instants afin de mettre de l'ordre dans ses idées. D'abord, il fallait nettoyer la plaie, mais aussi sécher et réchauffer ce petit corps tout détrempé. Et puis absolument le réveiller ! Lui faire boire quelque chose de réconfortant !

Comme un vrai père, Guy déshabilla Paul. Il eut des difficultés pour retirer le pantalon au niveau de la blessure, impressionnante. L'os, finalement, ne paraissait pas si atteint. Guy courut chercher deux ou trois serviettes de bain et se mit à nettoyer délicatement la plaie. Avec un linge sec, il protégea la blessure puis frictionna le gosse autant qu'il le put. Lorsqu'il se trouva essoufflé d'avoir autant frotté les jambes, le torse, le dos, les cheveux du gamin, il alla chercher le pyjama que Paul avait décidé de laisser ici pour ses nuits d'escapade.

Tout en habillant son malade, Guy lui parlait. Le gamin avait cessé de gémir et avait marmonné des bribes de phrases guère compréhensibles. Pauvre Paul. Qu'avait-il bien pu se passer ? Le pyjama ne suffirait pas à le réchauffer. Guy se hâta de fouiller dans ses vêtements et trouva un pull bleu marine qu'il enfila sur la veste de pyjama de Paul.

Ensuite il descendit préparer un café. Guy savait qu'il ne disposait d'aucun médicament sur place – depuis son arrivée, il avait eu l'occasion de visiter tous les placards de cette maison. Une boisson chaude ne pourrait que réconforter le gosse. Le problème était de la lui administrer.

Guy réussit à le redresser, en glissant deux oreillers dans son dos ; comme à un bébé, il lui fit boire un bol de café sucré, à la petite cuiller. Progressivement, Paul retrouva des couleurs. Ses mains étaient désormais tièdes, sa respiration plus calme. Entre deux cuillerées, il avait ouvert les yeux, regardé Guy comme à travers un brouillard. Le vagabond avait cru deviner une étincelle de joie dans les prunelles, mais si faible ! En même temps, Paul avait murmuré quelques syllabes. Salope ! Guy avait identifié le mot « salope » ! Mais qu'est-ce qu'un tel mot venait faire ici, en plein délire ? La salope ne pouvait pas être Guy ! Ce terme ne convenait pas à un homme... Puis le blessé s'était assoupi.

Guy ramassa les vêtements dégoulinants et alla les déposer dans le tambour de la machine à laver. Il remarqua alors la porte restée ouverte. Il reprit sa torche électrique et remonta jusqu'à la grille. Là, derrière le muret, il repéra le vélo jeté dans un tas de broussailles. Hâtivement, il rejoignit la maison, ferma la porte et retourna au chevet du malade.

Paul dormait. Son souffle filtrait régulièrement entre ses lèvres. Ses traits, crispés une heure auparavant, s'étaient détendus. C'était un bel enfant! Un visage de chérubin, malgré ses douze ans. Rassuré, Guy se décida à quitter la chambre pour s'allonger sur un lit, de l'autre côté du palier.

Demain, on verrait plus clair dans toute cette histoire; la blessure serait plus nette et, sans doute, Paul arriverait-il à marcher jusqu'au bourg. On trouverait bien un cabinet médical ou une infirmière. Depuis des lustres, Guy n'avait eu affaire à des médecins. Que diraient-ils? Il faudrait inventer un scénario crédible qui ne mettrait pas leurs situations respectives en suspicion. Et en ce moment, que faisait la mère de Paul? Pourquoi, sans prévenir et par un temps pareil, le petit était-il venu ici?

16

Une chape de plomb

Guy n'arrivait pas à trouver le sommeil. Il tournait et tournait encore sous sa couverture. Il s'assit sur le bord du matelas, puis se recoucha. Vers deux heures du matin, alors qu'il s'était enfin assoupi, il entendit Paul.

— À boire…

C'était une voix menue, suppliante, mais elle avait suffi pour faire bondir Guy du lit. Il alluma le plafonnier du palier et, délicatement, entra dans la chambre de Paul. Ce dernier le regardait, confiant. Une sorte de brume semblait couvrir ses yeux verts. Il esquissa un sourire à l'entrée de son ami.

— J'ai soif, souffla-t-il.

Guy lui tapota la main et descendit chercher un verre d'eau. De retour, il aida l'enfant à se redresser

119

en lui passant un bras solide dans le dos. De l'autre main, il pencha progressivement le gobelet. Paul buvait lentement ; il se laissait mener.

— Merci, dit-il.

Guy l'allongea à nouveau : le blessé referma les yeux.

— Tu veux autre chose ? s'enquit le garde-malade avec inquiétude.

— Non… Pourquoi tu ne m'as pas répondu tout à l'heure, quand je t'ai appelé ?

— Je n'ai pas entendu… avec cette pluie… j'étais couché. Désolé !

La pluie, d'ailleurs, avait cessé. Un vent puissant lui avait succédé.

— Tu es bien ici, maintenant. Il faut dormir.

— J'ai chaud, Guy. Je voudrais encore de l'eau.

L'homme s'approcha de l'enfant, posa la main sur son front.

— Tu es chaud, c'est vrai. Tu as de la fièvre. Tu as dû attraper un rhume ou une grippe, avec cette averse ! Quelle idée aussi de venir me voir par un temps pareil !

Guy aurait voulu que Paul profite de cette perche pour révéler les motifs de sa visite. Mais le gosse ne répondit pas. Ses paupières étaient parfaitement closes.

Sans bruit, Guy descendit rechercher de l'eau. Lorsqu'il remonta, l'adolescent dormait. Après avoir déposé le verre sur la table de chevet, Guy retourna sur son lit. Mais il était lumineux qu'il ne fallait pas dormir. Le gamin avait de la fièvre : il fallait se montrer vigilant. Avec sa blessure, en plus, on ne savait jamais… Guy sentit que l'air allait lui manquer ou qu'une chape de plomb descendait sur lui. Les choses ne seraient pas aussi simples à régler qu'il l'avait espéré une demi-heure plus tôt.

Et le reste de la nuit donna raison à ses lourdes appréhensions : Paul réclama à boire plusieurs fois. Il reconnaissait Guy, mais son front restait brûlant. Vers cinq heures du matin, Guy le trouva trempé de sueur. Il fallait absolument faire baisser la fièvre ! Pas la peine de songer à des médicaments. Il n'en possédait aucun ! Guy commença par découvrir le corps de Paul. Puis il le tamponna à l'aide d'une serviette de toilette trempée dans de l'eau fraîche, presque froide.

Paul lui sourit.

— C'est la faute de ma mère tout ça. Elle ne veut plus de moi.

Guy suspendit ses gestes, étonné, indigné, révolté contre cette femme qu'il ne connaissait toujours pas.

— Allons, allons, répondit-il malgré tout, tu as dû mal comprendre ce que ta mère a pu te dire. Une maman ne repousse pas son fils ainsi !

Paul fixa les prunelles bleues de Guy. Les siennes brillaient, emplies de détresse.

— Guy, ma mère ne m'aime pas. Elle ne veut plus de moi. Je t'assure, je ne te mens pas.

Les paupières se refermèrent sur son regard brûlant. Paul se rendormit. Le bien-être apporté par la serviette de bain l'avait apaisé. Il retrouva une respiration plus calme. Guy s'assoupit à ses côtés, sur une chaise. Cela ne dura malheureusement pas.

Vers six heures, Paul s'agita et se mit à parler sans ouvrir les yeux.

— C'est pas vrai… Je ne veux pas de ce type à la maison !… C'est ma maison !… Guy, sauve-moi ! Garde-moi avec toi… Je le hais !…

Guy essayait de lier les bribes de phrases. Mais l'ensemble restait confus. L'enfant transpirait à grosses gouttes, essayait par moments de se redresser, sans grand résultat. Puis il se mettait à trembler, à pleurer. Ses cheveux en bataille lui collaient aux tempes. Sûr, la fièvre était revenue !

Guy réfléchissait à vitesse grand V. Le petit était en danger. Il avait besoin de soins, d'autre chose qu'un bain frais ! La chape de plomb descendit à nouveau sur les épaules de Guy. Un étau l'enserrait. Mais il n'avait pas le choix. Patiemment, il fit boire quelques gorgées d'eau à son petit Paulo. Des larmes roulaient sur la vieille face burinée.

— Paulo, mon gars, je vais chercher un médecin. Ne t'inquiète pas pour moi. Je vais revenir. Dis, Paul, tu m'entends ?

Le gosse cligna des yeux mais ne parla pas. Guy sentit une pression de la main de Paul sur la sienne. Sa voix était cassée, brisée, lorsqu'il dit à nouveau depuis le seuil de la chambre :

— Je reviens Paulo, ne t'inquiète pas.

Guy ramassa ses affaires dans son vieux sac puis il descendit rapidement dans la salle de séjour. Il ne fallait plus tarder, il fallait agir, exécuter ce qu'il venait de décider, avant de changer d'avis. Il n'aurait pas du courage éternellement, il le savait très bien. Même si la santé de Paul en dépendait.

Guy fonça vers le tas de vêtements empilés quelques heures auparavant dans le lave-linge, en tira hâtivement le pantalon déchiré et palpa les poches. Paul avait toujours sur lui un portefeuille bleu, en tissu imperméable. Sa mère tenait à ce qu'il le porte constamment sur lui, avec sa carte d'identité, quelques euros et une carte téléphonique. Pour une fois, cette femme servirait à quelque chose d'utile…

Sans le savoir, elle allait sans doute sauver la vie de son fils. Guy trouva, en effet, ce qu'il cherchait. Ses doigts, gourds de nervosité, découvrirent la carte : elle semblait neuve ! Pourvu qu'il reste assez d'unités !

Guy abandonna tout le barda sur la table du séjour et se dirigea vers la porte. Il eut un temps d'arrêt, la main posée sur la poignée. Il se retourna vers les escaliers, le regard fiévreux, l'âme vidée. Quelques secondes, Guy sentit ses jambes mollir, un profond dégoût de vivre l'envahir, un perte de vitalité le submerger. Ses yeux errèrent, hagards, à travers la pièce et rencontrèrent le portefeuille bleu. Aussitôt, il ouvrit la porte et sortit dans la nuit. Il prit soin de bien tirer derrière lui le portail de fer, dont il avait un jour trouvé la clé dans un placard – ce qu'il avait caché à Paul, quelle idée ! Et sans un regard en arrière – il ne le fallait pas –, il saisit le VTT, qui était resté pêle-mêle dans les broussailles. Guy l'enfourcha aussitôt et se dirigea vers le casino de La Faute où il était certain de trouver une cabine téléphonique en bon état de marche.

UNE DRÔLE D'AFFAIRE

Le 21 décembre, à six heures cinq minutes, les pompiers de l'Aiguillon reçurent un curieux appel :

— Allô ? J'ai bien les pompiers en ligne ?

— Oui. Que doit-on noter ?

— …

— Allô ? Vous avez quelque chose à signaler, sinon, quittez la ligne et arrêtez vos plaisanteries idiotes, reprit sèchement le garde.

— Hum, je ne plaisante pas, enchaîna une voix très basse, très sourde, il y a une urgence à la Pointe-d'Arçay. Vous irez jusqu'au village de vacances, celui qui est situé à côté des Amourettes. Puis vous prenez la première à droite. Après quelques mètres, vous aurez sur votre droite, dans un virage, une résidence secondaire entourée d'une grille blanche.

Montez vite à l'étage. Il y a un gosse dans une chambre : il ne va pas bien du tout. Il s'appelle Paul. La voix au bout du fil se cassa totalement. L'interlocuteur raccrocha sans permettre au pompier de demander d'autres précisions.

Ce dernier resta quelques instants éberlué, se remémorant le discours qu'il venait d'entendre : la voix du type paraissait celle d'un homme mûr ; pas un gamin qui chercherait à faire une blague. Mais que pouvait bien faire un gosse mal en point, seul apparemment, dans une maison de vacances ? Il ne fallait pas laisser cet appel sans suite, aussi saugrenu fût-il…

Le pompier appela deux confrères et ils partirent en direction de la Pointe-d'Arçay. Ils trouvèrent assez facilement la villa et y entrèrent doucement. Ils étaient très intrigués. Quelque chose dans cette histoire leur échappait. La demeure, en effet, n'était pas fermée. Le rez-de-chaussée semblait habité. Il y faisait chaud. Des vêtements, un portefeuille, des casseroles, des verres et des bricoles traînaient de-ci de-là. Ils montèrent précautionneusement à l'étage. Rien dans la chambre de droite.

Quand ils découvrirent Paul, il dormait. Il devait avoir plus de trente-neuf de fièvre : sa respiration rapide et irrégulière accentuait son aspect de malade. Vite, très vite, les pompiers coururent chercher une civière. Guy, caché dans les taillis quelques mètres plus loin, les vit revenir avec Paul, étendu sur le brancard. Son cœur se serra.

Tous les rêves ont une fin. Celui de Guy s'achevait là…

Le camion partit à toute allure, gyrophare allumé, sirène en marche. Guy se dit qu'il avait bien agi. Qu'il fallait laisser à Paulo la chance de s'en sortir. Sans lui.

Sans plus attendre, le « à-nouveau-SDF » remonta sur le vélo de son ami. Il fallait quitter les lieux maintenant. La gendarmerie serait rapidement mise au courant de l'affaire et la présence d'un clochard ne serait pas bien vue. Suspecte. Il choisit de revenir au Pey-de-Fontaine, en attendant de voir un peu plus clair dans cette histoire. La distance était suffisante pour le soustraire à une enquête un certain temps, celui de décider ce qu'il allait désormais devenir.

Le lendemain, le vagabond se rendit à pied au café du Bernard. Il avait abandonné le vélo dans un autre blockhaus. Il valait mieux éviter d'être aperçu avec ce VTT. Les gens causent tellement vite ! Guy, en dépit de sa journée et de sa nuit dans la cave humide, se trouvait encore présentable. Il avait bénéficié, à La Faute, d'un confort suffisant pour se raser régulièrement. Il restait donc convenable. Il demanda un café et un sandwich, acheta le journal. À la page de Luçon, il lut avec émotion un article ainsi rédigé :

CURIEUSE DÉCOUVERTE À LA POINTE-D'ARÇAY :
UN ENFANT AGONISANT

Hier matin, les pompiers de l'Aiguillon ont reçu un appel anonyme leur demandant d'intervenir rapidement dans une villa de La Faute-sur-Mer. Comme l'avait annoncé leur interlocuteur, les pompiers ont découvert un garçon d'une douzaine d'années gisant sur un lit, la jambe droite profondément entaillée. Son état s'est révélé assez inquiétant pour qu'il soit immédiatement conduit au centre hospitalier de Luçon. La gendarmerie lance un appel à témoins. Il semblerait en effet qu'une autre personne occupait la maison. Que faisait l'enfant à cet endroit ? Pourquoi l'autre résident a-t-il disparu ? L'affaire n'est pas close, même si les jours du blessé ne sont plus en danger.

Guy sentait ses joues en feu. Il ne pouvait pas relever la tête. Tous les regards semblaient se concentrer sur lui. Il était soulagé d'avoir lu que Paul allait mieux : l'étau se desserra un peu dans sa poitrine. Il se répétait qu'il avait bien agi.

— Sacrée histoire, ça encore, hein !

Un doigt énorme et velu venait de jaillir sous ses yeux et pointait l'article. Guy sentit son sang se glacer. Lentement, sans vraiment bouger, il leva son regard vers un vieil homme bedonnant, un verre de rouge à la main. Aucune animosité dans son expression. Un bavard, simplement.

— Hum, oui…

Guy se décida à engager la conversation. Peut-être que ce gaillard lui apprendrait des choses.

— Vous savez autre chose ? On a retrouvé l'autre personne ?

Le vieil homme prit le dossier de la chaise voisine et s'assit à son côté.

— Sûr que je sais autre chose ! Ma petite-fille travaille à la clinique de Luçon. Là où le gamin a été transporté. Elle est infirmière, et elle a entendu les pompiers expliquer aux urgences que c'était vraiment curieux, parce que la maison était vide, mis à part le gosse, évidemment. Pas de vêtements, rien ! Pourtant, ils sont certains que quelqu'un y vivait.

— Et ils ne l'ont pas vu ?

— Non ! Y paraît que la gendarmerie n'y comprend rien non plus. Le gosse reste muet. Quand les pompiers l'ont transporté, il a pourtant baragouiné quelques mots.

Guy cacha difficilement son inquiétude. Qu'avait pu dire Paulo dans son délire ? Peut-être l'avait-il appelé ?

— Et... ? demanda-t-il, trop fébrilement à son goût.

— Eh bien, il parlait de quelqu'un, d'une personne. Il disait : « C'est pas sa faute, faut le laisser tranquille, c'est pas lui. » Il paraît que le gosse a répété ça plusieurs fois dans sa demi-conscience.

— Et depuis... ?

— Le gamin est revenu à lui dans l'après-midi, quand ils ont réussi à baisser sa fièvre. Mais...

L'homme s'arrêta, savourant le suspense qu'il faisait flotter. Son interlocuteur captait ses paroles, et dans le coin, à part les habitués du café, il n'y avait pas grand monde pour l'écouter. Guy le regarda du coin de l'œil. Il avait très envie de connaître la suite mais il devait mesurer son impatience afin de ne pas trop trahir sa curiosité.

Son compagnon reprit enfin :

— Mais quand la gendarmerie a voulu interroger le gamin, celui-ci n'a plus desserré les dents. Même avec sa mère. Il est plus muet qu'une carpe. Drôle d'affaire, hein ?

Guy était perdu dans ses pensées : Paul avait parlé de lui pendant son délire. Il avait cherché à le disculper. Plus que le café noir, savoir que l'enfant le protégeait lui réchauffait le corps.

— Mais, dites-moi, monsieur, dans l'article, ils écrivent « profondément entaillé ». Le gamin avait été agressé ?

Ravi de jouer à nouveau le rôle de celui qui sait, le bonhomme reprit rapidement :

— Depuis, les gendarmes ont conclu qu'en fait, il avait dû tomber en enjambant la grille qui entoure la maison car ils ont retrouvé le pantalon du gosse déchiré, par terre, à côté de la machine à laver. Et après, sur un des barreaux de la clôture, ils ont découvert un morceau du pantalon. Mais ils ne comprennent pas pourquoi le gosse a escaladé la barrière parce que le portail était ouvert !

— Et… c'est une grande entaille ?

— Ma petite-fille a fait le pansement, après les soins. Il a quand même douze points de suture ! Mais ça aurait pu être pire…

— J' comprends pas bien votre histoire, risqua Guy qui se sentait libre d'éventuels soupçons. Pourquoi une autre personne se cacherait-elle si elle n'est pas responsable de l'accident ?

— Eh bien, c'est exactement ce que tout le monde

se demande ! Vous vous rendez compte ! Même à sa mère, le gosse ne veut rien dire ! Il fait semblant de dormir, ou alors il allume la télé. Pas un mot ! Pas un ! Quel enfant ! Il paraît que rien n'a été volé dans la maison. Ni dans les affaires du gamin, enfin rien d'habituel. Il y avait toujours les soixante euros que sa mère lui laisse au cas où…

— Curieux votre truc. Vous êtes sûr que rien ne manquait ?

— Rien d'habituel, j' vous ai dit.

Le vieux Vendéen se releva. Son verre était vide.

— Bon, faut que j' rentre… Il manque juste un vélo. Comme quoi, y avait bien quelqu'un d'autre. Une affaire pas claire, plutôt louche, c'est moi qui vous l' dis. Y aurait de la drogue là-dessous que ça ne m'étonnerait pas du tout. C'est vrai, quoi ! Ce gosse, s'il ne veut rien dire, c'est qu'il y a quelque chose de pas net !

— C'est vrai, avec les temps qui courent, on ne sait plus à qui faire confiance, ironisa Guy, tout à fait rassuré sur son sort.

D'après ce que racontait le vieil homme, personne n'avait remarqué sa présence dans la villa et personne ne semblait songer à un vagabond.

Guy se leva à son tour et salua son indicateur sur le trottoir, comme s'il quittait un vieil ami cher. Tout guilleret, il reprit le chemin du blockhaus. Puisque personne ne paraissait le soupçonner, il était décidé à rendre visite au petit Paul. Tous deux envisageraient alors la suite de leurs aventures. Luçon n'était pas la porte à côté. Mais si Paul ne se portait pas plus mal, il ne resterait pas très longtemps à l'hôpital.

Comme il n'était que onze heures, Guy choisit de partir immédiatement. S'il marchait d'un bon pas, il arriverait à destination vers la fin de l'après-midi. Avec un peu de chance, un conducteur le prendrait en auto-stop.

Tout heureux à l'idée de retrouver l'enfant, le vagabond se remit en route, sans son sac. Il l'avait caché tout au fond du blockhaus comme aux premiers temps de leur rencontre. D'une manière ou d'une autre, Guy était certain que sa vie allait prendre un nouveau tournant. Il reviendrait récupérer son sac lorsque cela serait nécessaire. Pour le moment, sa priorité, son souci, c'était le gosse.

18

LES RÊVES ONT-ILS UNE FIN ?

Guy ne mit pas deux heures pour parvenir à Luçon. Un routier l'avait pris à bord de sa cabine, rapidement. C'était un gars du Nord. Guy se sentit en pays neutre, dans ce camion. Le chauffeur n'était certainement pas au courant de son affaire et il y avait peu de chance pour qu'il soit interrogé par la police.

Avant de pénétrer dans le hall de l'hôpital, Guy s'installa à quelques mètres pour observer les allées et venues des visiteurs, ainsi que les alentours. Pas de képi à l'horizon. Un endroit plutôt calme. Au bout d'une bonne demi-heure, Guy se décida à rejoindre Paul. Il ne savait pas très bien comment il allait se présenter, mais il voulait tenter le diable jusqu'au bout. Qui, d'ailleurs, pouvait connaître son identité ? Qui connaissait ses liens avec le garçon ?

Il ne lui manquait que le numéro de la chambre. Assez sûr de sa réussite, Guy s'approcha de l'accueil. Une hôtesse se tenait là, occupée au téléphone. Au bout d'un moment, elle se tourna vers le visiteur, un sourire commercial figé sur son visage trop maquillé.

— Oui ? interrogea-t-elle.

— Hum, je voudrais…

Guy marqua une légère pause. Son cœur battait plus vite qu'il ne l'aurait désiré, et il paniquait à l'idée que l'hôtesse puisse le percevoir.

— Je voudrais, reprit-il non sans avoir avalé sa salive, le numéro de la chambre de Paul Boutrot ; il est arrivé avant-hier aux urgences.

La jeune femme ne répondit pas tout de suite mais son affreux sourire disparut. Elle consulta un grand cahier puis revint vers Guy qui sentait son aplomb disparaître. Il avait remarqué le changement d'expression de la standardiste.

— Désolée, je ne peux pas vous le donner, finit par lâcher la femme, trop serrée sous sa blouse blanche. À présent, elle dévisageait l'homme qui se tenait face à elle. Lentement. Sans ciller. Cela irrita Guy. Pour qui se prenait cette pimbêche tout juste née ?

— Vous devez faire erreur, mademoiselle. Je veux

le numéro de Paul. Il a eu un accident. Je suis son oncle. Vous seriez donc gentille de me le donner. J'ai bêtement oublié de le demander à sa mère.

Guy était satisfait de lui. Il savait désormais mentir. Mais la femme ne se démonta pas, elle non plus. Elle referma le registre, se tourna pour chercher une bricole dans un placard, revint vers lui.

— Pas la peine d'insister. J'ai des ordres précis. Personne n'est admis dans la chambre de ce garçon. Vous devriez le savoir si… vous êtes son oncle, comme vous dites.

Le regard bleu acier de la réceptionniste pénétra celui de Guy. Il se sentit asphyxié. Sa chemise lui collait au dos. S'il insistait, elle appellerait du renfort. Il était d'ailleurs étonnant qu'elle ne l'ait pas encore fait. Mieux valait disparaître.

Aussi lentement qu'un automate rouillé, le SDF se dirigea vers la sortie. Il était piégé. Paul restait aux mains de plus fort que lui. L'homme ne s'était jamais senti aussi seul, perdu dans un océan de non-existence. Il était seul, tout seul, avec son pauvre petit rêve de bonheur qui s'évanouissait au fur et à mesure qu'il se rapprochait de la porte.

Paul, mon petit Paul, si près et si loin. Je t'aime.

Guy sortit dans la nuit.

*

*   *

Trois jours plus tard, Guy se présenta chez
sœur Marie. Comme à son habitude, celle-ci lui
offrit un café et l'écouta. Ce jour-là, Guy lui raconta
son histoire, la vraie…

La religieuse se chargea de sa souffrance : au bout de
quelques semaines, Guy disposait d'un travail et
d'un petit logement sur la commune d'Angles.

Il avait aussi un projet, une idée fixe qui le mainte-
nait debout : revoir Paul, pour l'aider à grandir.

TABLE DES CHAPITRES

COMME LA VIE
JUNIOR / DÈS 10 ANS

Claude Carré
LES MILLE ET DEUX NUITS

Jean-François Chabas
LA DEUXIÈME NAISSANCE
DE KEITA TELLI
TRÈFLE D'OR
LES FRONTIÈRES
LES HERMINES
CIRCÉ

Hervé Debry
LETTRES À QUI VOUS SAVEZ

Yaël Hassan
UN GRAND-PÈRE TOMBÉ DU CIEL
Prix du Roman jeunesse 1996
Prix Sorcières 1998
Grand Prix des jeunes lecteurs de la PEEP 1998
Prix de la première œuvre, CDDP de la Marne 1999
Prix Mange-Livres de Carpentras 1999
QUAND ANNA RIAIT
Prix des écoliers de Rillieux-la-Pape 2001
Prix Tatoulu 2001
Prix du roman de Mantes-la-Jolie 2001
Prix de la ville de Lavelanet 2001
MANON ET MAMINA
Prix du Livre jeunesse de La Garde 2000
Prix Chronos Suisse 2000
LE PROFESSEUR DE MUSIQUE
Prix,Chronos Suisse 2001
Prix Saint-Exupéry 2001
Prix Chronos de littérature pour la jeunesse 2002
UN JOUR, UN JULES M'AIMERA
Prix Julie des lectrices 2002
Prix Salon du livre de Beaugency 2002
LETTRES À DOLLY
DE L'AUTRE CÔTÉ DU MUR
L'AMI

Felice Holman
LE ROBINSON DU MÉTRO
Prix Lewis Carroll 1978

Sylvaine Jaoui
JULIA SE TROUVE TROP GROSSE
JE VEUX CHANGER DE SŒUR !

Rose-Claire Labalestra
LE CHANT DE L'HIRONDELLE
Prix du Roman jeunesse 1999
Prix Chonos suisse 2002
Prix Échappée Livres, Annecy 2002

Roland Lamarre
UN SCÉNARIO BÉTON
LE STOPPEUR

Claire Mazard
MAMAN, LES P'TITS BATEAUX
Prix Tatoulu 2000
Coup de cœur au Prix Ado, Rennes 2000

Aline Méchin
DANS LA PEAU D'UNE FILLE

Laurence Pain
L'INCONNU DU BLOCKHAUS

Joseph Périgot
GOSSE DE RICHE !
TROP AMOUREUX !

Sandrine Pernusch
UNE ANNÉE TOURBILLON

Annika Thor
LE JEU DE LA VÉRITÉ
Prix August de littérature de jeunesse,Stockholm

Jean-Louis Viot
LES CENT MILLE BRIQUES

Colette Vivier
LA MAISON DES PETITS BONHEURS
LA PORTE OUVERTE
LA MAISON DES QUATRE-VENTS

Le catalogue de la collection « Romans » est disponible
chez votre libraire ou sur une simple demande.

casterman

36, rue du Chemin-Vert 75545 Paris cedex 11

www.casterman.com

Conception graphique : Claude Lieber

ISBN 2-203-13010-5

Imprimé en Belgique. Dépôt légal : octobre 2003 ; D. 2003/0053/344
Déposé au ministère de la Justice, Paris
(loi n° 49.956 du 16 juillet 1949 sur les publications destinées à la jeunesse).